LOS VIAJEROS

COLECCIÓN HORIZONTE

PRIMERA EDICIÓN
Publicada en mayo de 1955

SEGUNDA EDICIÓN
Publicada en octubre de 1967

MANUEL MUJICA LAINEZ

LOS VIAJEROS

EDITORIAL SUDAMERICANA
BUENOS AIRES

IMPRESO EN LA ARGENTINA
Queda hecho el depósito que previene la ley 11.723.

calle Humberto Iº 545, Buenos Aires.

Hélas! et qu'ai-je fait que de vous trop aimer?

Berenice, Acto V.

I

¿De quién hablaré primero? ¿De Berenice? ¿De Tío Baltasar? ¿De Simón? ¿O hablaré de la quinta, de "Los Miradores", de la Mesa del Emperador, del invernáculo? Es difícil empezar un cuaderno de memorias, sobre todo cuando se presiente que habrá mucho que escribir, y cuando los recuerdos se agolpan, rumorosos, simultáneamente, para que no los olvidemos, porque cada uno de ellos puede ser una pieza, pequeña o grande, negra o multicolor, del rompecabezas, del "puzzle" que nos proponemos armar, y si faltara uno el cuadro quedaría incompleto... y quién sabe... quién sabe si no será la principal esa extraviada pieza diminuta. Todas las reminiscencias creen que son imprescindibles, y ni yo mismo estoy en condiciones de establecer ahora, al comienzo, cuáles resultarán verdaderamente necesarias, mientras las siento merodear en torno de mi silla, en este cuarto de hotel, como sombras susurrantes.

Berenice... Tío Baltasar... la quinta... Hace unos minutos descendí de la azotea del hotel: desde allí, a la distancia, por encima de las chatas construcciones del pueblo y de las tristes calles arboladas con paraísos, se avistan, en medio de una gran mancha de follaje, las ruinas de "Los Miradores". El invernáculo sigue más o menos como lo conocí, enorme, esquelético, en la barranca. Estaba tan destruído cuando yo vivía en la quinta, cuatro años atrás, que por eso mismo casi no ha cambiado. Lo estuve observando largamente, acodado en el parapeto del hotel junto al águila de mampostería, y estuve observando el paisaje familiar que no me canso de ver, tan simple y tan hermoso, con los talas, los muros del caserón inútil, la trepidante refinería de petróleo en lontananza y, cerrando el horizonte, los sauces que se amasan sobre el río como un tropel sediento.

El invernáculo... sí... tal vez deba iniciar mi viaje (mi paradójico viaje retrospectivo de viajero condenado a no moverse) por ese testigo, por ese sobreviviente cruel, en esta exploración de claves, en este ensayo de ordenación de imágenes y de ideas cuyo término quizás me permita comprender por fin... El invernáculo... y Tío Baltasar... y aquella noche de mi adolescencia, tan secreta, tan aguda...

Simón y yo habíamos salido de tarde a pescar. Mis tíos y sus padres nos prohibían que anduviéramos juntos, y por reacción —y porque nos queríamos— íbamos el uno en pos del otro, buscándonos por los senderos intrincados de la quinta, que habitaban las lagartijas, los grillos y los bichos quemadores, llamándonos en voz baja junto a las rejas de los dormitorios, escapando hacia el pueblo o hacia el río.

Era una tarde quieta de verano, con un acantilado de pesadas nubes. Entre los sauces y los ceibos no temblaba una hoja. Y los pejerreyes no picaban. A veces sacábamos un bagre o una mojarrita, y volvíamos a tirarlos al agua inmóvil. Nos alejamos río arriba sin darnos cuenta.

Remábamos lentamente. Como en otras ocasiones, Simón me pidió que le dijera mis últimos versos. Los escuchaba con gravedad, marcando el ritmo con la cabeza. Eran unos poemas bastante pobres, que se titulaban "El clavicordio de la abuela", "El abanico" o "El halcón". Pero mi amigo —y en su juicio no se equivocaba— prefería otros, más simples (más lógicos, también, pues ni él ni yo habíamos visto jamás ni un clavicordio ni un halcón), en los que yo me esforzaba por rimar la tristeza de los crepúsculos del río, con gran acopio de camalotes y de álamos. Quizás los prefería porque eran tan suyos como míos, porque nos pertenecían a los dos, porque ahí, en ese cotidiano paisaje, él no podía sentirse intruso y lo compartía, mientras que el inexistente clavicordio de la abuela, ubicado en una imaginaria sala celeste, sólo me pertenecía a mí.

Llegamos a una vuelta del río. Allí sí había pejerreyes. Cuando nos decidimos a regresar, la noche había descendido sobre nosotros y tuvimos que encender el farol del bote. El miedo que nos sobrecogía —mi miedo de Tío Baltasar y de Tía Gertrudis; su miedo del padre brutal que por cualquier cosa le pegaba— nos hermanaba más aun. Solos, hijos únicos ambos, viviendo en las dos alas enemigas de la misma casa, me encantaba pensar (aunque no se lo decía) que éramos hermanos, dos hermanos de igual edad, muy distintos, rubio el uno y el otro moreno, huérfano el uno —yo— de una señora aristocrática y de un despreciado prestidigitador vagabundo, inventor de juegos maravillosos, y el otro —él— hijo de dos ex-mucamos altaneros y mandones: distintos, hijos de distintos padres, pero hermanos.

Me acuerdo que esa noche, mientras Simón y yo remábamos sin aliento y el parpadeo del farol alumbraba nuestras piernas desnudas, doradas, flacas, ¡tan parecidas!, sentí hondamente esa fraternidad, eso, más profundo que una amistad, que nos vinculaba. Tal vez él lo haya experimentado también, porque de repente soltó el remo y me palmeó la espalda procurando disimular su timidez, y me dijo:

—No será nada... A lo mejor ni lo han notado...

Pero ambos sabíamos que era imposible, que nos estaban esperando, allá arriba, en la barranca, los dos grupos antagónicos —por un lado mis tíos, los mucamos por el otro— sin hablarse. Y aunque llevábamos cuatro pejerreyes que dividiríamos entre las dos familias, sabíamos que el cebo no sería suficiente, que nos reprenderían y luego se comerían el pescado. Pero por más que nuestra imaginación alerta trabajó al compás de los remos, al par que nos deslizábamos rozando las largas trenzas de los sauces, nunca pudimos conjeturar una escena tan extraña y tan terrible como la que se preparaba en el invernáculo.

Dejamos el bote en el muelle, cerca de la inmensa refinería, toda encendida ya y rechinante, que en la negrura, junto al río, semejaba con sus luces rojas y verdes y sus chimeneas y sus torres, una flota fondeada, lista para zarpar, y ascendimos hacia la casa a los saltos, por el senderillo que sólo nosotros conocíamos y que se hundía entre los talas retorcidos, bajo la delirante enredadera de campanillas violetas que arropaba totalmente esa parte del jardín inculto con su abrigada funda. Cuando el resplandor de la luna daba en ellos, los pejerreyes espejeaban en nuestras manos, como espadas. En lo alto brillaba la claridad del invernáculo, tamizada por las persianas podridas. Allí estaría Tío Baltasar y acaso mis tías también, aunque no solían entrar en el estudio del escritor. Allí estarían, esperándonos, entre los libros de Victor Hugo.

Debo explicar cómo era ese invernáculo, para que quien me lea no considere absurdo que Tío Baltasar hubiera instalado en él su escritorio. De todas maneras, aun después de explicarlo, lo juzgará absurdo.

El invernáculo fué la primera obra suntuosa del constructor de "Los Miradores", del fundador del pueblo, del padre de la Tía Ema, dueña de la quinta en la época que evoco, la invisible y omnipotente Tía Ema —tía de mis tíos— a cuya agria generosidad debíamos hacía muchos años el refugio hospitalario de esa casa. Lo hizo levantar en la barranca, a media cuadra del edificio, hacia 1880, y consistía en una desmesurada armazón de hierro, estúpidamente gótica, de unos siete metros de altura por diez de largo y cinco de ancho. Ese montaje sostenía los vidrios que formaban la gigantesca caja de cristal de techo combo, pero ya casi no quedaban vidrios. Ni tampoco quedaban plantas. De las orquídeas sólo había allí la memoria gloriosa, repetida en las anécdotas de Tía Gertrudis. Había en cambio algunas "garras de león" que florecían en verano, y algunos filodendros grises de polvo cuyas amplias hojas agujereadas, que parecían espiar con los cien ojos transparentes de Argos, envolvían confusamente, hacia el fondo, una pequeña gruta de material, entre cuyas rocas que mostraban el rojo del ladrillo pasaban, antaño, cuando hubo agua, los pececitos veloces. En el centro permanecía una gran fuente rota, que comprendía tres platos de estaño, superpuestos, con recortadas figurillas de mujeres, de aves y de animales distintos, que en los tiempos de esplendor habían girado por los bordes a la cadencia de una música frágil, entre surtidores de hilos delicados. Pero ahora no funcionaba más que uno de esos platos curiosos y hacía años que nadie ponía en marcha su mecanismo.

Con ser tan raro el invernáculo sin flores, cuya bóveda desaparecía bajo las telarañas, y la herrumbre de cuyos muros se vestía con el harapo de las persianas en jirones, lo más extravagante que encerraba no era ni la fuente musical, ni la gruta, ni los tumbados jarrones vacíos, ni siquiera las dos estatuas de mármol que fueron llevadas allí desde el parque alguna vez, y allí quedaron para siempre —la estatua de América y la de una misteriosa mujer mitológica que sostenía una cortada cabeza de caballo—: lo más extravagante, lo que al desheredado invernadero le otorgaba el orgulloso carácter de único, era el tinglado de madera que Tío Baltasar hizo armar en él, detrás de la fuente, cuando yo era apenas un niño y resolvió que necesitaba esa soledad para trabajar en su traducción de Victor Hugo y para vigilarme mientras yo estudiaba: un endeble cobertizo que protegía su mesa de trabajo, su despanzurrado diván, su brasero, los tomos de la Edition Nationale de Hugo que había pertenecido a su padre, sus cuadernos, sus revueltos diccionarios y el medallón de yeso del autor de "Ruy Blas" que ostentaba en el pómulo la equimosis de un golpe de escoba.

En ese sitio singular, en el que de día flotaba una luz verde, acuática, que contribuía a tornar más irreales los objetos disparatados que en él naufragaban, y que de noche, cuando Tío Baltasar encendía su lámpara de kerosene, se henchía de espectros que bogaban en la luz lechosa, transcurría buena parte de mi tiempo durante los meses tibios. Yo odiaba el invernáculo, como se comprenderá.

Para mí, a pesar de su hermosura insólita, era lo más parecido a una cárcel. Tío Baltasar caminaba durante horas entre las estatuas y las macetas, hojeando el diccionario de rimas, y yo debía estarme sentadito en mi silla dura, anotando guías de excursiones —guías tan viejas que supongo que esas excursiones romanas, florentinas, flamencas o bretonas, han modificado sus itinerarios con el andar de los lustros—; mirando mapas; aprendiendo las rutas de Francia en Baedekers inauditamente arrugados; leyendo clásicos (y, como es natural, a Victor Hugo); analizando una, dos y veinte y cien veces, en láminas minuciosas, las fachadas de Notre-Dame de París, de la catedral de Chartres, del castillo de Blois, de San Marcos de Venecia; preparándome para el viaje a Europa como para un examen más temible que el de álgebra; preparándome para el gran viaje detestado que no realizaríamos nunca, que nunca haré.

Pero ya tendré ocasión de hablar más detenidamente sobre ese viaje proyectado, eje de la vida de mis tíos, sobre ese espejismo interminable que circundaba a "Los Miradores" con una decoración erudita de torres medievales y capillas renacientes, como si la propiedad estuviera rodeada de colosales biombos aislantes en los que habían sido pintados los edificios célebres del viejo mundo con la policromía de los "affiches" turísticos, unos biombos que rozaban el cielo y nos separaban de la realidad, del pueblo, del río, de las islas, de los tanques de petróleo, de nuestra propia mezquindad de parientes pobres, unos biombos que pretendían separarme de Simón.

No pensaba en el viaje, por cierto, cuando trepaba por la barranca detrás de mi amigo, cuya suelta camisa flotaba como una bandera. Simón me tomó de la mano. Faltaba poco para que alcanzáramos la cumbre: no sé si quería infundirme valor o si esperaba que yo le transmitiera alguno. Al desembocar de los matorrales entrelazados y lanzarnos como el viento por la escalinata quebrada que en ellos se hundía, toda nudosa del serpentear de las raíces, la casa —la "villa" de la Tía Ema, orgullo del pueblo— apareció en la oscuridad como un grabado. Supe de inmediato que mis tíos estaban en sus dormitorios, porque vi recortarse sus siluetas a contraluz, en los balcones: Tía Gertrudis, Tío Fermín, Tía Elisa... Me aguardaban, pero se dijera que tomaban el fresco, indiferentes, y el abanico de Tía Elisa era lo único que oscilaba en la quietud... También había luz en el cuarto de los caseros, en la parte donde vivía Simón... Y el invernáculo, donde Tío Baltasar acechaba nuestro regreso con seguridad, semejaba la osamenta de un monstruo fosforescente... qué sé yo... de un megaterio, de un diplodoco, de un tracodonte, con su costillar de hierro iluminado apenas como brillan de noche los esqueletos de animales abandonados en la llanura... un monstruo echado en la loma lunar entre las araucarias...

En la cochera, Zeppo y Mora, los caballos, relincharon, inquietos. Cocearon contra los pesebres. No tuve tiempo de reflexionar mucho, porque la puerta del invernáculo se abrió violentamente y Tío Baltasar surgió de su interior, dibujado en el rectángulo radiante pero sin que pudiéramos verlo, todo negro, como si lo cubriera una negra malla. Pegó con su mano de madera, la mano izquierda —jamás olvidaré el sonido de ese toque breve e imperioso en la pared— y gritó, como Gertrudis cuando llamaba a sus perros:

—¡Miguel! ¡Simón! ¡Aquí! ¡Vengan aquí!

Tuve la sensación de que en los balcones las figuras se movían, borrosas, aéreas, como en un sueño, como si se hallaran a mil leguas, en un palacio de una ciudad lejana, y sin soltarnos —sin advertir que nuestras manos temerosas continuaban unidas— entramos en el invernáculo. Pero no bien —fué cuestión de unos segundos— nuestros ojos se acomodaron a la semiclaridad de acuario, retrocedimos hacia la cerrada puerta, porque en el cobertizo de Tío Baltasar, debajo del medallón de Hugo, acostado en el diván donde el traductor solía estirarse para declamar los poemas de "La Légende des Siècles", había un cuerpo blanco, el cuerpo de una mujer desnuda, y ni Simón ni yo habíamos visto antes jamás a una mujer así, a una mujer desnuda, fuera de las láminas de los libros de los museos, y para mí una mujer desnuda era algo que no existía, algo pintado, del Ticiano, del Giorgione o del Veronés.

Tío Baltasar se aproximó a nosotros por detrás y de un golpe de su mano de madera postiza nos separó, como quien corta una cuerda. Y entonces se puso a insultarnos, locamente, bárbaramente, pero ni yo ni Simón —luego me lo dijo— prestamos atención a sus palabras, porque la presencia de esa mujer desnuda, que desde el diván nos observaba en silencio, nos impedía escucharlo y nos fascinaba como una lámpara exótica.

Recuerdo que pasó por mi memoria un diálogo, unas frases, que había oído tres años antes en la cocina. Úrsula, la cocinera, hablaba quedamente con el cartero, y yo, que acertaba a cruzar junto a la ventana, los sorprendí sin querer.

—Sí... —decía el cartero burlón— en el pueblo cuentan que el señor Baltasar hace venir de noche a una mujer... una mala mujer... una (y bajaba la voz)... una prostituta... y que se encierra con ella...

—¡Cállese, Don Víctor, que me enojo!

—Cuentan que la mete en el invernáculo y la desnuda... Cuentan que Don Giácomo los ha visto...

—¡Cállese, Don Víctor! Don Giácomo es un viejo loco... Así nos paga la caridad... Y además el Niño Baltasar puede hacer lo que le guste, que para eso es soltero...

Esas palabras me impresionaron mucho, y durante algún tiempo anduve espiando, para tratar de corroborarlas, pero luego, ante la falta de indicios, las olvidé. Aunque no... no era eso lo único... Otra vez, de tarde, estaba yo en el corredor leyendo, y Tía Gertrudis y Tío Baltasar llegaron de su diaria cabalgata. Venían furiosos. No sé qué les habría pasado en el camino, pero aunque eran los más unidos de los hermanos a menudo discutían. Cuando desmontaron, Tío Baltasar murmuró entre dientes:

—Conmigo no te metas, Gertrudis. No me busques. Tú tienes tus cosas, ¡Dios sabe lo que serán!, y yo las mías.

—¡Pero a esa mujer no puedes traerla aquí! —replicó Tía Gertrudis, azotando la hierba con su fusta—. Si se entera Elisa se volverá loca. Además —agregó misteriosamente, con una de sus sonrisas irritantes—, si en verdad la necesitaras, lo comprendería, pero yo creo que la traes porque sí, por dar que hablar...

Y ahora esa invisible mujer estaba frente a mí, recostada en el diván. Su cara era irregular, sin gracia, pero su largo cuerpo extendido, casi celeste de tan blanco, con unas venas sutiles en los pechos, tenía una belleza alucinante, como si despidiera claridad en la penumbra de los libros, de los filodendros que la vigilaban, de las estatuas tenebrosas.

—¡Yo les voy a enseñar! —imprecaba Tío Baltasar, rojo de cólera—, ¡tapujeros, mentirosos! ¡Les voy a enseñar a obedecerme! ¡Van a aprender que el que aquí manda soy yo! ¡Escondiéndose, como dos ladrones! ¡Maricas! ¡Escondidos por ahí, entre los talas! ¡Imbéciles! ¿Se creen que me engañan? ¡Aprendan lo que es una mujer! ¡Miren a esa mujer! (y la señalaba con su mano negra, su bonita y horrible mano de maniquí, y como en ese instante yo me volviera hacia él, desesperado, en un relámpago recogí, al verlo de pie, vibrante, estremecido, pálido, todo él ceñido por vetusto traje de montar, la noción de algo que hasta entonces no se me había ocurrido, y es que Tío Baltasar, a los cuarenta y cinco años, era un hombre hermoso, un ser que poseía una elegancia natural, más fuerte que la ropa deslucida, pasada de moda, algo como un *ritmo*; pero sobre eso medité más tarde, cuando la escena rápida se decantó y afirmó en mí, pues el miedo, la vergüenza y el asombro no dejaban sitio para otras emociones).

—¡Hablen! ¡Digan algo! ¡Defiéndanse! —continuaba mi tío.

Y nosotros permanecíamos mudos, ignorando de qué teníamos que defendernos, abrumados por la desproporción exorbitante que separaba la levedad de nuestra falta de muchachos pescadores, distraídos en el río, y el castigo indescifrable e injusto que se nos imponía.

—Trajimos —acertó a tartamudear Simón— estos pejerreyes...

Los alzó en dirección a la mujer desconocida, con un ademán imprevistamente antiguo, casi ritual (¡y era tan joven, el pobrecito, éramos tan jóvenes los dos, tan chicos, tan nada!), y como si presentara una ofrenda, hace miles de años, ante una diosa yacente de mármol, en un templo lleno de estatuas y de grandes hojas.

De un manotón, Tío Baltasar los arrojó al suelo:

—Pero... ¿no entienden?... ¿no entienden lo que les quiero decir?... mírenla, es una mujer... aprendan lo que es una mujer... lo que vale un cuerpo de mujer...

La mujer se puso de pie entonces, quizá para sosegarlo, y me pasmó que estando desnuda delante de nosotros pudiera caminar, como si un cuadro de Pablo Veronés, el único desnudo posible, se pusiera a andar en el invernáculo. En ese momento, Tío Baltasar me pegó. Su mano negra cayó, rígida, sobre mi hombro. Nunca me había maltratado antes, así que me incliné más asustado todavía, y fuí hacia atrás con Simón, derribando algunas macetas. La mujer se apiadó de nosotros, o quizás se turbó ante lo desagradable de la escena de la cual era cómplice. Lo cierto es que pareció que iba a hablar y que se apoyó en la fuente, pero, sin proponérselo, tocó el resorte oculto que hacía marchar el viejo mecanismo oxidado y, mientras Tío Baltasar continuaba injuriándonos y zarandeándonos, el plato de estaño comenzó a girar lentamente y una música nostálgica colmó la habitación con un aire de vals, en tanto que las pequeñas figuras —los guerreros, las ninfas, los cisnes, las águilas, los dromedarios—, al rotar despacio con doloroso chirrido, proyectaban sus sombras movedizas, agrandadas, sobre las persianas verdes, de modo que se dijera que el invernáculo se había transformado, súbitamente, en un peregrino salón de baile de máscaras, en el que los danzarines resbalaban sin gestos, formando una ronda fantasmal.

—¡Pára eso, estúpida! —ordenó mi tío.

Pero los forcejeos de Baltasar y de la mujer fueron vanos, porque las sombras liberadas siguieron su baile de linterna mágica, sobre las "garras de león" y el brasero y las esculturas y los libros de Hugo y también sobre el cuerpo blanco y celeste doblado junto a la fuente embrujada, y el vals siguió rotando, rotando, mecánico, crujiente, obligándolo a Tío Baltasar a levantar la voz ronca:

—¡Jamás, ¿me entienden?, jamás volverán a salir solos... a perderse por ahí... quién sabe dónde...! ¡Esta música del demonio!... ¿no habrá modo de pararla?

Y, ciego, frenético, se volvió hacia nosotros y me abofeteó con la mano de madera.

Entonces la puerta se abrió, y el padre de Simón, Basilio, el mucamo, asomó la cabeza rapada, de presidiario, y en un segundo abarcó la escena de pesadilla: la mujer, el hombre de altas botas y camisa azul, las figuras breves que giraban a la luz de la lámpara de kerosene: los dromedarios, los empenachados guerreros... y nosotros, en nuestro rincón, trémulos junto a la cortada cabeza de caballo que una reina de mármol sostenía...

—¡Usted está loco! —exclamó dirigiéndose a Tío Baltasar—. ¡Usted es la vergüenza de esta casa... usted y esa hembra... miserable!

Tío Baltasar avanzó hacia él. Creí que lo iba a matar. Pero se apretó las manos en el pecho, como si de repente le doliera algo, se contuvo y se dejó caer en la silla al lado de mi pupitre.

Simón aprovechó para salir huyendo, perseguido por Basilio. Yo escapé a la zaga. Todavía tenía los pejerreyes en la mano. Afuera, en la oscuridad del parque que rodeaba a la casa, tropecé con Don Giácomo, el atorrante italiano que dormía en la cochera. Llorando, tiritando, llegué a la casona. Subí las escaleras y me refugié en mi dormitorio. Mis otros tíos —Fermín, Elisa, Gertrudis— no abandonaron sus habitaciones y jamás comentaron conmigo lo que esa noche había pasado, de suerte que hasta hoy ignoro qué sabían del episodio del invernadero. A poco, el vals cuyo susurro trepaba hasta mí, vaguísimo, como si sonara debajo del agua, en el mismo palacio encantado donde había entrevisto las siluetas de mis parientes, cesó. Y en cambio oí, en el otro extremo de "Los Miradores" del cual me separaba la anchura del patio y la magnolia, el grito de Simón, a quien le estaba pegando su padre.

A menudo he reflexionado sobre la aventura que he tratado de describir. Tal vez ahora se haya *compuesto* en mi memoria, porque cuando la evoco la veo como un cuadro, como uno de esos cuadros antiguos cuyas escuelas, fechas y autores me obligaba a aprender Tío Baltasar, y en los cuales, entre varios hombres jóvenes y vestidos, sobre un fondo de verdor, se destaca el cuerpo desnudo de una mujer que el pintor ubicó allí con clásica naturalidad. Ni siquiera faltó, como en muchas de esas pinturas, el elemento barrocamente mitológico, suministrado en el invernadero por las heroicas sombras con cascos emplumados y por los animales fabulosos que en el último plano se esfumaban. Sí... veo todo aquello como un cuadro o como un tapiz, porque su irrealidad se acentúa a medida que el tiempo transcurre. Pero eso, el aspecto que casi debería llamar decorativo, es lo externo. Lo hondo, lo que iba por debajo de las efigies distribuídas en la construcción alegórica (del ademán iracundo del hombre con botas; del azoramiento de los dos muchachos; de la pavorosa falta de pudor —tan simple, tan directa— de esa mujer que entonces me pareció madura pero que hoy, a la distancia, adivino joven) se me escapó en aquel momento, a semejanza del mecanismo de la fuente que no hallaron ni Tío Baltasar ni la mujer y que sin embargo estaba allí, al alcance de sus manos: el secreto resorte capaz de poner en marcha a las sombras y a las luces y de vincularlas entre sí por obra de una música escondida. Mi inexperiencia adolescente no supo ir más allá de la superficie. Pero debo añadir que esa superficie, ese cuadro desazonante, bastaba para quitarme el sosiego, aunque no me pusiera a profundizar en la indagación de los motivos. Fuera de Simón, ásperamente aislado de mí, no tenía con quién comunicarme. Yo estaba solo. Vivía solo. Ninguno de mis tíos se hubiera acercado a hablarme, a explicarme, a aclararme; antes bien, como ya dije, fingieron que ignoraban el episodio (o lo ignoraron, aunque me parece difícil). Y ese episodio extravagante, brutal, contenía una de las claves de la acción futura. Pero yo no estaba para enigmas posteriores; con los inmediatos, planteados por la presencia de ese cuerpo desnudo y por el fulgor de esa cólera, era suficiente.

No dormí esa noche —tampoco durmió Simón— pensando en Tío Baltasar y en su amante: en Tío Baltasar, mesurado, señoril, frío, tan escrupuloso en su afán de crear distancias, pues ni yo, su sobrino, que pasaba junto a él parte del día, conseguía acercarme a su intimidad; y en este nuevo Tío Baltasar clandestino, que se encerraba en su invernáculo, en su insólito templo de artista —el templo consagrado celosa y estrafalariamente a divinizar a Hugo—, con esa mujer del pueblo, con una carada mujer sensual a quien él mismo, cuando atravesaba el pueblo a caballo arrogantemente, junto a Tía Gertrudis, seguido por sus perros, ni siquiera hubiera mirado. Eso era lo que me preocupaba sobre todo (más todavía que la ansiedad provocada por la visión del cuerpo blanco), esa especie de desmoronamiento de la figura tiesa de Tío Baltasar, quien no había tenido reparos en escandalizarme, en escandalizarnos a Simón y a mí, a propósito, y a Basilio también, pues era ineludible que el mucamo apareciera en busca de su hijo. En eso pensaba, revolviéndome en mi cama frente a la ventana abierta... en la terrible, indomable fuerza interior que debió impulsarlo a Tío Baltasar, desatando trabas, a actuar en esa forma enigmática y sañuda. Y pensaba en lo que antes había oído decir, en el diálogo de Úrsula y el cartero, en el de Tía Gertrudis y su hermano. Y pensaba en Simón, con angustia, porque comprendía que mi amigo, más débil que yo, más indefenso, estaba menos preparado para hacer frente a un choque tan despiadado como el que partiera de la mujer inmóvil y desnuda, con su violenta revelación de un mundo en el cual convivían el Victor Hugo exquisito del medallón de David d'Angers y la cínica obscenidad, inimaginable hasta entonces para nosotros que separábamos cándidamente lo bueno de lo malo, lo que se hace de lo que no se hace, y que creíamos que en ciertos casos superiores (de los cuales la pasión intelectual de Tío Baltasar nos parecía un ejemplo típico) las dos corrientes, la turbia y la pura, jamás se mezclan, porque el hombre que vive (o que se diría que vive) para el espíritu, con monástico engreimiento, permanece invariablemente fiel al rigor de su tipo. Se apreciará, por lo que digo, cómo era yo de muchacho, de chico, a la sazón. Y, como es justo, en el edificio inmenso que temblaba con vibración delicadísima, a causa del vecindario de la refinería de petróleo que nunca dejaba de trabajar, día y noche, también pensaba mientras el alba teñía mi cuarto, en la mujer desnuda, en el cuerpo tan nuevo para mí, tan rico, conquistado en un instante y sentido, como si hubiera estado solo con ella en el invernáculo, lejos de Tío Baltasar y de sus improperios, y la hubiera abrazado entre las hojas cubiertas de polvo.

Muy tarde, se entreabrió mi puerta sin ruido y Tío Baltasar entró. Fingí dormir. Me deslizó sobre la frente la mano larga y fina, su única mano, la que no me había golpeado, tan opuesta a la otra, la ortopédica, la falsa, la horrible, y se fué en puntas de pies. Y eso —tan raro, tan contradictorio— me tranquilizó y me ayudó a quedarme dormido. Pero hasta la mañana me atormentaron las pesadillas.

II

Mi distracción de pescador y de poeta me valió una penitencia de dos días. Me enteré de que la cólera de Tío Baltasar había prolongado sobre mí sus efectos con un castigo tan arbitrario, cuando Úrsula me lo comunicó a la mañana siguiente. Úrsula, la cocinera, nuestra única criada, había sido mi niñera, mi paño de lágrimas y mi amiga, desde que fuí a vivir a "Los Miradores" con mis tíos, a los seis años.

—Se tendrá que quedar en su cuarto, Niño Miguel —me dijo—. Le he traído dulce de leche.

Lo dejó en el bol de cerámica azul con garzas blancas

que había sido de mi madre (una de las pocas cosas suyas que guardaba y que todavía conservo aquí, en esta pieza de hotel, con algunos recuerdos, como las miniaturas del mariscal Soult, duque de Dalmacia, y del mariscal Ney, príncipe de la Moskowa —salvadas de la Mesa del Emperador—, y el retrato de mi padre, de prestidigitador, con su sombrero de copa, su capa negra y el pecho constelado de falsas condecoraciones).

Me instalé, pues, lo más cómodamente que pude, a dejar que transcurriera el tiempo.

Mi dormitorio, situado en el primer piso de la casa, tenía dos grandes ventanas protegidas por altas rejas. Una abría en la fachada principal de nuestra ala, sobre la barranca, hacia el río. Más allá de los tanques, de los cilíndricos depósitos de nafta, de la planta de aceites y los alambiques, ubicados al pie mismo de la loma, en terrenos que habían pertenecido a mi familia —más allá de ese mundo palpitante, negro de humo, tan "moderno", tan fuera de lugar en el paraje que circundaban el sauzal y los talas y que coronaba nuestro propio caserón caprichoso, hecho a pedazos por el padre de Tía Ema—, el río discurría entre los árboles y los ranchos, dibujando las islas que también habían sido nuestras, y arrastrando su cotidiano cargamento de pequeños vapores, de lanchas y de velámenes tranquilos. La otra ventana miraba hacia el vasto patio interior y hacia el ala donde Simón vivía. Si pegaba la cara contra los barrotes podía distinguir la masa del invernáculo en cuyo proscenio Tío Baltasar traducía a Victor Hugo.

¡Qué casa inusitada la nuestra, la que Tía Ema nos prestaba para que en ella ocultáramos, disfrazándolas con actitudes señoriles, nuestras penurias económicas y nuestra mediocridad! Su padre, mi bisabuelo, fué un hombre riquísimo y voluntarioso, un clásico producto de su tiempo, derrochador, ingenuo y progresista, que cuando resolvió lotear parte de la estancia para fundar el pueblo, derribó el vetusto edificio central de "Los Miradores", una casa encantadora de 1830, y se entretuvo alzando en su lugar, desde 1880 hasta 1914 —año de su muerte—, una dislocada construcción en la que convivían los estilos bastardos, mezcla de "villa" europea, de cuartel y de acertijo, y en la cual solía refugiarse durante quince o veinte días consecutivos, con amigos parecidos a él, con parásitos y con mujeres —era viudo desde joven—, para gozar de fiestas truculentas, de "asados" pantagruélicos que conmovían al pueblo naciente y que todavía hoy se mentan en los cafés, en el hotel, en el banco, en el almacén de Pablo, en el club, y supongo que en la refinería, como si fueran acontecimientos de la historia nacional. No sé en qué habrán consistido con exactitud esas diversiones anteriores a los depósitos de nafta, contemporáneas de la época en que se levantó la iglesia de San Damián —así se llamaba el fundador— y se decoró la estación de ferrocarril con una cúpula Luis XVI, pero la verdad es que ni nosotros, con nuestra insignificancia altiva, ni los ex mucamos vecinos, con su afán de que se los tomara por burgueses, hemos conseguido —aunque residimos allí durante mucho tiempo— despojar a "Los Miradores" de su carácter, de su "tono" de casa de placer, hecha para el placer, con todo lo disparatado que el placer implica. Ese "tono" se evidenciaba en el dormitorio de Tía Ema —que ella no ocupó jamás—, situado en el ala opuesta, ornado con Cupidos feos que surgían del damasco verde; en el billar Imperio; en el salón de baile, depósito después de muebles cojos, de alfombras y de botellas vacías; y especialmente en el interminable comedor Luis XIII, en cuya chimenea las iniciales de mi bisabuelo se entrelazaban con laureles imprevistos, en medio de los escudos de Richelieu, de Ana de Austria, de la ciudad de Buenos Aires y —supongo que más o menos auténtico— el propio de Don Damián: la torre en llamas. (Tío Baltasar me detalló alguna vez, como si fuera lo más lógica —y un "hallazgo"—, la funambulesca alegoría de esos cuatro blasones, explicándome que, al hacer tallar en París la monumental chimenea, su abuelo quiso aliar en el comedor su pasión por el estilo mosqueteril de Alejandro Dumas —de quien era lector concienzudo, alternando sus novelas con las de Paul de Kock y con los infinitos volúmenes de Sarmiento— y su fervor familiar y porteño de viejo criollo para quien la estirpe y Buenos Aires valían tanto como "cualquier franchutada por versallesca que quiera ser".) Ese cuadro se completa con el sinfín de escaleras que se enroscaban doquier (algunas de las cuales eran "finas" y otras ordinarias, pues el señor no se fijaba mucho en el material) y que unían corredores y vestíbulos, "halls" y filas de dormitorios, vinculando la elocuente majestad del 80 con la imaginación peligrosa de 1900 (florecida en cuartos de baño cuyos lavatorios encerraban en su porcelana, entre nenúfares, los rostros en miniatura de muchachas peinadas por peluqueros) y con la estupidez sin gracia de 1914 que se trasuntaba en perchas, en "vitraux" y en una inconclusa galería pictórica. Todo ello es obra del padre de Tía Ema, quien, desdeñoso de arquitectos e ingenieros, seguro de lo que había aprendido "en Europa", en el curso de viajes a través de casinos e hipódromos, ordenaba a su constructor, de tanto en tanto, que añadiera un nuevo cuerpo a su laberinto de yeso y seda, una sala de armas con trofeos apócrifos, un "fumador árabe" congestionado de mueblecitos de nácar, habitaciones que le procuraban la sola recompensa de que, año a año, al entrar en ellas sus amigos, políticos, estancieros, gentes semibárbaras y semiespléndidas, que habían estado en Europa también y apreciaban sobre todo los habanos, los vinos, la manteca, los choclos y la buena carne, y con ellos las mujeres bonitas que hubieran podido ser sus hijas y que llegaban de la estación en el "bréque" y en la "victoria", sofocadas por las cajas de sombreros, prorrumpieran en exclamaciones de admiración extática (las mujeres) o menearan la cabeza sonriendo (los hombres), significándole así su asombro ante la inventiva indomable con que seguía maravillándolos, como un Dédalo irresponsable y magnífico, multiplicador de chimeneas con ninfas, y de dormitorios en los que cuatro espejos, encuadrados por las "boiseries" blanqueadas al laqué, devolvían a esos mismos caballeros la imagen cuádruple de sus vientres lujosos, cuando se desvestían alegres de alcohol, de truco, de amor y de conversaciones en las que habían trazado por centésima vez el próspero futuro de la patria. Por eso al decir "nuestra ala" y "la otra ala", al referirme a aquella en la cual nosotros residíamos y a la que Simón y los suyos ocupaban, no me expreso con propiedad, pues en "Los Miradores" las alas no tenían fin, y la casa, vista desde un aeroplano, debía tener la forma de un desgarrado tapiz con muchos agujeros y puntas, con partes grises (los techos de zinc y pizarra, las mansardas superfluas), partes rojas (las azoteas y los patios) y recortados flecos delgadísimos (los torreones, el molino y el tanque de agua). Hablo así para facilitar las explicaciones y marcar la diferencia entre los departamentos de las dos familias.

Esa diferencia era grande y, paradójicamente, se planteaba en detrimento de nosotros, que, después de todo, éramos los señores.

Cuando Tía Ema decidió albergar allí a los hijos de su hermano menor, para sacárselos de encima, les destinó sólo una parte de la informe casa, cerrando el resto. En ese "resto" descomunal vivía un matrimonio de cuidadores, Basilio y su mujer, los padres de Simón, que habían sido mucamos de mi tía y que, instalados allí, libres, impunes, seguros de que el ama no llegaría nunca pues detestaba la casa y sus memorias, o de que si llegaba no podría acusarlos de descuido, pues era imposible que ellos se encargarán de mantener un edificio tan complejo, disponían sin más fiscalización que la de su propia voluntad. Tía Ema, con un sadismo realmente curioso, estableció que sus sobrinos residirían en las habitaciones construídas últimamente, las más feas, triviales y desprovistas de mobiliario, mientras que las demás —el comedor, el billar, la sala de armas, el "fumoir" árabe y los otros aposentos que sólo he mencionado en parte, es decir aquellas en las cuales se acumulaban los muebles más exuberantes, los retratos de familia y los recuerdos suntuosos— permanecerían cerradas y sometidas a la exclusiva vigilancia —y uso— de Basilio y su mujer, justificando su actitud con el anuncio a la Damocles de que en cualquier momento podía antojársele pasar unos días en "Los Miradores", para lo cual se reservaba esa vasta sección de la quinta.

Así que nosotros, aunque sobrinos suyos y descendientes del constructor de la casa famosa, estábamos en ella en una situación disminuída frente a los padres de Simón, circunstancia que mis tíos, en particular Tío Baltasar y Tía Gertrudis, aparentaban ignorar, hablándoles, cuando tenían que dirigirse a ellos, como a inferiores, para mantener así una ficción de muy difícil defensa. Basilio y su mujer, por su lado, ya no se consideraban gente de servicio —en verdad ya casi no lo eran— y envolvían el modesto título de "cuidadores" con un misterioso esplendor jerárquico, como si fueran más bien los administradores de mi tía, o como si el hecho de custodiar tantas dudosas maravillas, cuya invisible pompa deslumbraba al pueblo que las enriquecía en sus relatos, los transformara en guardianes de un museo, más aun, en directores de ese museo, ya que su posición hacía, después de tantos años, que fueran los únicos que conocían lo que ese museo encerraba, mucho mejor que Tía Ema (y eso era cierto) y que nosotros —nietos y bisnietos de Don Damián—, a quienes nos estaba vedado penetrar en él. Y como Tío Baltasar y Tía Gertrudis, si se dignaban conversar con alguien del pueblo, se preocupaban por dar de inmediato la impresión de que Basilio y Nicolasa eran sus servidores (o por lo menos los de Tía Ema), puntualizando la distancia que los separaba de ellos, y Basilio y Nicolasa, sostenidos por los proveedores que venían a la quinta y a quienes ellos sin duda pagaban con más regularidad que nosotros, no dejaban de difundir la exacta orientación de los hechos (que probablemente los ex mucamos exagerarían aunque con la ajustada realidad bastaba), presentándonos como unos "recogidos" que nada teníamos que ver con la parte suntuaria de lo que llamaban "el palacio", se había creado una situación extrañísima —y muy desagradable— que desconcertaba al pueblo y complicaba nuestra aislada existencia, ya que cuando Tío Baltasar y Tía Gertrudis recorrían las calles hacia el campo, pasando por la iglesia, por el club y por la plaza donde se halla el busto de mi bisabuelo, sin desmontar nunca, en sus hermosos caballos de largas crines doradas, era imposible no reconocer en ellos, que llevaban su apellido y poseían una estupenda distinción física, a los nietos de Don Damián, a los dueños de "Los Miradores", mientras que Basilio y Nicolasa desvanecían ese equívoco con una sola frase, al dejar caer, en un diálogo con el almacenero Don Pablo o con el cartero Don Víctor, que para utilizar el teléfono teníamos que pedirles permiso o —para ser más fieles a la triste realidad— teníamos que anunciarles que lo utilizaríamos.

Además, lo que contribuía a enmarañar el panorama de por sí complejo era el hecho de que Tía Elisa desempeñara en el pueblo las tareas de subdirectora de la escuela. Eso era algo que irritaba profundamente a Tío Baltasar y a Tía Gertrudis. Lo toleraban porque era imprescindible —¿de qué hubiéramos vivido si el sueldo de Tía Elisa no se hubiera incorporado mensualmente a la magra contribución de Tía Ema?—, pero, al principio, cuando se produjo la vacante del cargo de maestra y su hermana anunció el propósito de realizar gestiones para obtenerla, afirmada en vagos estudios y en la influencia de nuestros parientes porteños, los dos mayores pusieron el grito en el cielo, diciendo que era una descastada, indigna de su nombre, que quería arruinarlos socialmente, y jamás, con el correr de los años, a medida que sucesivos ascensos la llevaron a la subdirección, abandonaron su desdeñosa actitud, si bien la disimulaban (a veces) ante ia que apodaban a sus espaldas "la Docente", pues, como ya dije, el sueldo de Tía Elisa era fatalmente necesario para nuestra parca subsistencia. Por supuesto, ellos se habían fraguado una especie de "composición de lugar" —que enmarcaba con exactitud dentro de su enfoque artificioso de la vida— y solían explicar con una sonrisa entre indulgente y burlona que Elisa era víctima de una incomprensible "vocación" y que así como el uno no podía dejar de traducir a Victor Hugo, impulsado por la suya, y la otra no podía separarse de sus perros y sus látigos, a su hermana no le quedaba más remedio que enseñar, que "desasnar chicos", porque se lo imponía una propensión tan humanitaria como engorrosa. Y Tía Elisa —que fué la única normal, entre mis tíos— salía todas las mañanas para la escuela, con sus cuadernos y su sombrilla o su paraguas, según la estación, acompañada por Tío Fermín, el tonto, mi tío abuelo, el adorable Tío Fermín.

Si las actividades de "la Docente" los molestaron tanto, ¡cuánto más debió alterarlos y espantarlos el extravagante casamiento de mi madre! Junto a él, que se produjo poco después del ingreso de Tía Elisa en el colegio, la deserción de la maestra infantil era cosa de poca monta, cosa que ni se tiene en cuenta. Y además la deslealtad de Tía Elisa se aliviaba con la reiterada virtud de sus beneficios económicos, en tanto que la de mi madre, infinitamente mayor a juicio de mis tíos como felonía, no acarreó (también a su juicio) más que desastres, uno de los cuales fué mi venida al mundo y la incorporación de una boca más a su sobria mesa, cuando quedé huérfano y me enviaron a "Los Miradores" como prueba permanente del escándalo. ¡Qué escándalo, qué enorme escándalo debió provocar ese matrimonio! Con todo, no creo yo que fuera tan terriblemente importante como Tía Gertrudis, Tío Baltasar —y acaso Tía Elisa— pensaron y se empeñaron en repetir, porque mis tíos, a causa de su reclusión y de su pobreza que los ubicaban aparte de nuestra familia (tan ilustre en Buenos Aires, tan grandiosa que parece mentira que a ella pertenezcamos Tía Elisa y yo), no podían esperar que las cosas deprimentes que a ellos les sucedían en un pueblo remoto, en una quinta semi olvidada que sólo se mencionaba ante las generaciones nuevas como una rareza del opulento Don Damián, repercutieran en el seno del orgulloso clan suscitando algo más que cierta sorpresa y cierto disgusto, pero nunca el horror, el formidable horror solidario al cual creían tener derecho.

Mi madre, por decirlo brevemente, se enamoró de un prestidigitador polaco que ofreció cinco funciones en el pueblo, se escapó con él, y con él se casó. Monsieur Wladimir Ryski, mi padre, era un hombre esbelto y joven. Sabía cantar y tocaba la guitarra y el violín; descubría ramos de hortensias de papel en el fondo de su sombrero; hablaba todos los idiomas, hasta el de los pájaros; hipnotizaba, y trasladaba un pañuelo azul desde el proscenio al bolsillo de uno de los espectadores. Seguramente hipnotizó a mi madre, que tenía veinticinco años, era bonita y se aburría atrozmente en "Los Miradores", leyendo los versos de Paul Fort y de Amado Nervo. ¿Cómo se vieron?, ¿cómo urdieron su descabellada fuga? No lo sé y quizá no lo sabré jamás. Wladimir Ryski debió de ser un hombre encantador y comprendo que la fascinara a mi pobre Bella Durmiente de "Los Miradores". Úrsula me confió alguna vez que, durante los siete años que duró su matrimonio —y en los cuales la vida de mi madre cambió fantásticamente, pues anduvo por el Perú, por México y Venezuela y los países de la América Central, a la zaga del marido maravilloso—, mi madre fué feliz. Me mostró una carta en la que se lo decía. Yo nací en Tegucigalpa. Me trajeron a la Argentina seis años después, expedido por las autoridades diplomáticas, con el pasaje pago por Tía Ema, cuando mis padres murieron a consecuencia de un accidente de automóvil en el camino de cornisa que va de Caracas a La Guayra. Me acuerdo de un hombre de bigotes negros, engomados, que usaba un perfume delicioso, y que se acercaba a mi camita, de noche, vestido de frac, rutilante de bandas y de estrellas, como si fuera un embajador que partía para un baile. Llevaba un conejo bajo el brazo y me dejaba deslizar los dedos sobre el hocico y sobre la piel suavísima. Y me acuerdo de una mujer de pelo negro y ojos azules —la combinación típica de nuestra familia, que se ha dado en Tía Gertrudis, en Tía Ema y en mí también— que me recitaba poemas de Paul Fort *("Ce soir, entre les saules, que ce fleuve est tentant! — Qu'on me donne une barque et je partirai seul")*, y me refería la fábula de las ranas que pidieron rey.

Mis tíos no perdonaron la transgresión de mi madre. Se esforzaron por aparentar que nunca había existido, y si hubiera dependido de ellos yo no hubiera conseguido los retratos que me están observando ahora en este cuarto de hotel, a uno de los cuales —el de mi madre— lo descubrí en la pieza de Úrsula, mientras que al otro (el del caballero de etiqueta que parece listo para presentar las cartas credenciales de un rey balcánico), lo obtuve en el archivo del diario "La Nación".

Se me ocurre que al restringir nuestra vivienda a la parte menos espectacular de su gran casa de campo, y al desterrarnos de los dorados salones cuyo goce hubiera colmado de satisfacción vanidosa a Tío Baltasar, Tía Ema se vengó "a posteriori", sobre sus sobrinos, de los malos ratos que le había hecho pasar su hermano menor, mi abuelo, bala perdida del linaje. Esos malos ratos, según entiendo, fueron numerosos. Por lo pronto se le debe a mi abuelo, cuando Tía Ema y él heredaron, entre otras muchas propiedades, "Los Miradores" de Don Damián, la venta realizada entre gallos y medianoche, sin el más mínimo aviso a su justamente ofendida hermana, de la parte del solar que se extiende al pie de la loma, y de las dos pequeñas islas. Sospecho que fué para pagar una deuda de juego. Cuando Tía Ema se encontró con que a escasos metros del caserón de su padre empezaban a distribuirse las horrendas (y peligrosas) construcciones de la refinería de petróleo, cuyo directorio había adquirido los terrenos en cuestión, pensó morir. Revolvió cielo y tierra, destacó emisarios y abogados, interesó a un ministro, pero sus tentativas para recobrar lo perdido resultaron inútiles. Por culpa de su hermano, esa casa que ella visitaba rara vez, pero que tanto la ensoberbecía y de la cual tanto hablaba, trillando las memorias "ad usum" de los interlocutores, generalmente santurrones y frívolos, esa casa sufrió una merma atroz en su nobleza solitaria, merced al vecindario grotesco de la refinería, cuya presencia le recordaba a todo el mundo, cuando se contaba la anécdota de su instalación usurpadora, que ella, Tía Ema, había sido impotente para desalojar a los mercaderes intrusos apostados a las puertas mismas del "palacio" —a pesar de sus gloriosas relaciones oficiales y de su inatacable parentela—, y le recordaba que su hermano había atravesado en algún momento por una situación económica tan delicada (y tan inadmisible entonces para la solidez financiera de los suyos) que no había hallado más solución que vender ese solar precioso, y venderlo a unos extranjeros enemigos que no vacilaron en destruir la perfecta armonía del paisaje que solazaba con sus perspectivas a Don Damián y a sus próceres. Sí, eso fué algo que Tía Ema no le perdonó a mi abuelo. Por eso dejó de venir, ya que si bien sacrificó las ventanas que en la planta de recepción miraban al río, tapiándolas, para conjurar la vergonzosa visión de las chimeneas forasteras, la casa misma se encargó de repetirle sin descanso la historia humillante, con aquella levísima vibración que le comunicaban los trabajos de la refinería, que no cesaba y que hacía pensar que el caserón siempre estaba temblando, tiritando, temeroso como un gran animal cautivo frente al tropel de bestias hostiles detenido al borde del agua, cuyos ojos multicolores se encendían de noche para vigilarlo.

Después, cuando mi abuelo y su familia se radicaron en Europa, Tía Ema creyó verse libre de su hermano y de su amenaza inflexible, y respiró. Mi abuelo, mi madre y mis tíos vivieron seis años en el viejo mundo. A juzgar por el entusiasmo lírico con que los últimos aludían a esa residencia, deduzco que fueron felices allí. Por lo menos no hay duda de que esa fué la época más afortunada de su vida, tal vez porque eran muy jóvenes y porque el cambio —en un tiempo en que el peso argentino los autorizaba a un tren de vida que no hubieran podido sostener en Buenos Aires— prolongó en Francia y en Italia la ilusión de la riqueza. Pero mi abuelo murió en

Montecarlo, y sus hijos debieron regresar a Buenos Aires, solicitados por las alternativas de una testamentaría confusa. Aquí se encararon con la realidad dramática y eso, comparado con la existencia desproporcionada que habían llevado en Europa, acentuó su resentimiento contra la Argentina, a la que conceptuaban inmotivadamente culpable de su decadencia, cuando ella había sido, en verdad, la única fuente de su pasada holgura.

Tío Baltasar siguió las huellas de su padre. Liquidó las pocas propiedades que les quedaban, gravadas por hipotecas ruinosas, e hizo algo bastante increíble pero que define bien su carácter. En lugar de depositar el dinero en un banco, lo metió en una maleta que guardaba debajo de la cama. Era el jefe de la familia, autoritario, despótico, y a ninguno de los demás —ni siquiera a Tía Gertrudis, que tenía ciertos rasgos comunes con su hermano— se le cruzó por la mente la idea de reclamar su parte antes de que se hubiera evaporado. Siguieron viviendo juntos y viviendo bien. Tío Baltasar deslizaba la mano debajo de la cama, abría la valija y sacaba, al tuntún, los billetes que requerían su placer y el mantenimiento de la casa. Un buen día —quizás un año y medio después de la iniciación de ese singular régimen administrativo— su mano arañó el fondo de lona de la maleta. La sacó de su escondite, toda pintarrajeada de etiquetas de grandes hoteles, y, espantado, la halló vacía.

Entonces recurrieron a Tía Ema. Los mayores eran altivos, insolentes; las menores, Tía Elisa y Mamá, eran apenas dos niñas. Ni Tío Baltasar ni Tía Gertrudis tuvieron en cuenta un segundo la probabilidad de buscar trabajo para hacer frente al cataclismo. Tío Baltasar se consideraba un "intelectual". En Europa había comenzado a traducir al español la obra poética de Victor Hugo. Calculaba que esa espaciada tarea ocuparía su existencia toda, y que ella bastaba para justificarla sobradamente. ¡Son tan sublimes "Les Châtiments"! Tía Gertrudis sufría de unos mareos cuyo origen no lograban localizar los facultativos por la sencilla razón de que los fingía, y que podían presentarse en cualquier momento, obligándola a permanecer en la cama que compartía con sus dos perros "collies", durante tres o cuatro tardes, después de los cuales se levantaba más bella, indiferente y masculina que nunca, pronta a salir a caballo. Gente así, no trabaja. A Tía Elisa y a Mamá había que reservarlas, como dos princesas de la sangre (pues había algo esencial que pronosticaba la soltería de Tío Baltasar y de Tía Gertrudis) para el ilustre casamiento soñado, propio de la familia del escudo de la torre en llamas, y que, como hubiera previsto cualquiera menos quimérico y petulante que Tío Baltasar, jamás llegó.

Tía Ema, por su lado, no quiso que en Buenos Aires sus treinta primos cuyos apellidos entrelazados urdían el tejido de la vieja sociedad, y sobre todo Tía Duma y Tía Clara (la gorda, la de la calle Florida), dijeran que había dejado en la indigencia a los hijos de su hermano, ella, dueña de una fortuna que crecía año a año. Para borrarles de la cabeza la esperanza de que la heredarían alguna vez —y para evitar de ese modo, supersticiosamente, que desearan su fin— había hecho donaciones cuantiosas y fundado obras benéficas que llevan su nombre venerado y que su testamento robustecería. Tampoco es justo descartar a la caridad, radicalmente, de su ánimo. Acaso la "sentía", acaso había, en la plataforma de su espíritu, elementos de generosidad auténtica que la experiencia y el ajetreo mundano minaron y diversificaron. Frente a nosotros, como ya dije, su largueza tuvo expresiones originales. Nos confinó en la parte peor de "Los Miradores" y nos fijó una renta estricta. Probablemente al vedar nuestra entrada al Paraíso del ala opuesta, en el que Basilio y Nicolasa representaban el papel de ángeles coléricos, no olvidó la administración fugaz de Tío Baltasar y su valija, y temió que los muebles aparentemente enraizados por su enorme volumen en los "parquets" y en los mármoles, dieran pruebas de que su firmeza era menos poderosa que la necesidad de dinero de mi tío, y empezaran a emigrar de los refugios que les había asignado mi bisabuelo, en desmedro de su propiedad. A ella se le ocurrió también la idea de que Tío Fermín, hermano de mi abuela materna, que era un solterón inocente, incapaz de vivir solo, y que disponía de una pensión moderada, compartiera nuestro techo. Al proceder así realizó, sin proponérselo, una de sus obras benéficas más importantes, porque Tía Elisa se encariñó con el anciano lelo, y con ese cariño iluminó su existencia vacía.

De modo que la utopía del viaje a Europa, que colmó las vidas de mis tíos, tuvo una importancia mucho más profunda que la de una necesidad estética de "dilettanti" o la que deriva de esa atracción pueril y simpática que ciertos argentinos sienten por París, por Biarritz y por Cannes, ciudades que valoran igualmente, teatro y museo más o menos, donde pueden hacer cosas que no se atreverían a hacer en Buenos Aires y donde pierden unos complejos para adquirir otros. Para ellos, el regreso a Europa significaba en lo hondo la plena reconquista de su personalidad exaltada al máximum. Estaban seguros —yo lo adiviné después, porque no lo decían y ni siquiera entre sí se lo confiaban— de que en Europa, con el reencuentro de su juventud y su felicidad, allí dejadas, volverían a ser lo que debieron ser siempre, antes de entrar en la cárcel vejatoria de Tía Ema, en la que ahora se debatían amordazados. Europa representaba para ellos la opulencia —ficticia, pero opulencia al fin— de sus años adolescentes, e imaginaban que les bastaría con retornar allí y bañarse en aquella atmósfera triunfal, para hallarla y disfrutarla de nuevo, y para gozar del aristocrático "laisser aller" que selló su juventud. La idea de Europa era para mis tíos inseparable de la idea de lujo y de señorío, así como la Argentina se enlazaba con nociones sórdidas y deprimentes. Disfrazaban esas imágenes —que tal vez, por aferrarse a lo más recóndito de sus psicologías nutridas de snobismo, no percibían con claridad (y que seguramente hubieran desechado con furiosa ofensa, sin reconocerlas, si se las hubiera revelado alguien)— con el fácil pretexto de la cultura. Me refiero, por supuesto, a Tío Baltasar y a Tía Gertrudis, sobre todo el primero, porque Tía Elisa había terminado por circunscribir su vida a la mediocridad ordenada del colegio, y Tío Fermín era a modo de un gran perro fiel que la seguía, la obedecía y la adoraba y hasta asistía a sus clases. Tío Baltasar hacía flamear con cualquier motivo la cultura europea, como un magnífico estandarte que ostentaba las alegorías de Victor Hugo en la pompa de su bordado.

—Aquí no hay nada que hacer, Miguel —me declaraba—. Son todos unos brutos. Cuando vayamos a Europa, ya verás qué otro mundo... las catedrales... las conferencias... los museos..., los restaurantes... Basta con oler a París, con andar caminando entre las vidrieras, y eso no cuesta ni un peso, para sentirse otro...

Pero yo barruntaba vagamente que había algo más. Luego, la madurez y el largo meditar acerca de esos problemas me dieron la clave del asunto. Tío Baltasar y Tía Gertrudis creían que en Europa estaba su liberación. La Europa de sus recuerdos les restituiría la libertad: serían libres de Tía Ema, de Basilio, de "Los Miradores" degradantes, del encierro, de la pobreza, pues tanto el uno como la otra tenían, en su fuero íntimo, hambre de gente y de esplendor. En el pueblo no veían a nadie. Pensaban que mezclarse con la gente del pueblo era descender, malograr lo poco que les quedaba de su anterior grandeza señoril. Y estaban siempre solos, horriblemente solos, cuando su manera de ser los inclinaba con violento imperio hacia los demás. Nunca hubieran confesado (Tío Baltasar se hubiera dejado cortar la mano única antes de abrir la boca) su tendencia natural, humana y simple a los tés, a las comidas de veinte cubiertos a la luz de los candelabros, a las conversaciones jubilosamente criticonas, a la urgencia de estar entre la gente de su clase, bien vestida, bien perfumada, de compartir su restallante frivolidad, en una palabra, de ser como tantos y tantos de nuestra familia cuyas condiciones les permitían encabezar, en Buenos Aires, el mundo que espejea en los bailes de Tía Clara, en los tés de Tía Ema y en los recibos que Tía Duma ofrece cada vez que el príncipe Marco-Antonio Brandini aparece por el Río de la Plata.

Como ellos, yo tuve que consagrar mi corta vida a alistarme para ese viaje victorioso, que se cumpliría cuando Tío Baltasar terminara su traducción y ésta se publicara y fuéramos ricos de nuevo. Por eso me enclaustraron entre atlas y guías y fuí un monje, un pequeño novicio que tuvo por breviarios a los Baedekers, un iniciado en el culto del Hôtel des Réservoirs de Versalles, de las murallas de Carcassonne y del queso de Brie-Comte Robert. Por eso, como cualquiera que sin vocación sea recluído de niño en un monasterio, detesté la idea del viaje, ya que para mí Europa se trocó en algo similar a un bachillerato de cotidianos exámenes difíciles, y todo lo que allí puede haber de estimulante y de bello se diluyó entre las tarjetas postales repetidas y las enumeraciones de los catálogos. Y por eso también —para conservarme incontaminado; para que yo, que me llamo Miguel Ryski y que no soy uno de ellos, fuera uno de ellos, digno del augurio rehabilitador del viaje y del regreso a la Tierra de Promisión que sólo admite a los escogidos— Tío Baltasar me aisló, aniquiló las oportunidades de que tuviera amigos en el colegio, entre los muchachos vecinos, y me prohibió airadamente que lo viera a Simón, emblema, para él, de los vínculos más humillantes, como miembro de la familia de Basilio que representaba lo peor, lo que más odiaba, puesto que era la prueba viviente de la fragilidad de su autoengaño. Y yo, como es lógico en un caso así, me aferré a Simón con todas las fuerzas del alma, porque en él encontré una verdad, además de encontrar un cariño que me sostuvo en esa casa-monstruo, indefinible, en la que no se vivía y paladeaba el momento, porque parecía, con su vibración de maquinaria oculta, como si fuera no una casa sino un buque, como si estuviéramos navegando, como si ya bogáramos en viaje a Europa, y como si la refinería cercana fuera una flota que nos escoltaba con sus fanales y sus chimeneas, de tal suerte que nada de lo que sucedía en el instante mismo tenía valor ni para Tía Gertrudis ni para Tío Baltasar, ya que estábamos embarcados en un buque incómodo que pronto abandonaríamos para hallar en un puerto soleado y tumultuoso, en Marsella o en El Havre, la vida real de tierra firme con la cual nada tenía que ver este lapso pasajero, que no pertenecía a lo auténtico de la vida, y que nos llevaba, sobre un oleaje de talas y de campanillas azules, hojeando y leyendo y releyendo en la cubierta del barco la biografía de Leonardo de Vinci y la descripción del Museo de Cluny, que veríamos pronto, cuando echáramos anclas en la definitiva liberación portuaria. Y era tan intenso ese clima de los diccionarios, de los álbumes y de los mapas de las carreteras italianas y belgas, que ahora presiento que el casamiento veloz de mi madre puede interpretarse como una fuga del ahogo de la atmósfera rara que nos envolvía, a menos que haya sido una manifestación más —a pesar del repudio que la acompañó— del ansia viajera de los míos, la cual la lanzó a la zaga de un extraño que le brindaba, de inmediato, la posibilidad de los mundos nuevos que aguardaban, dorados y dichosos, más allá del paisaje y de la ficción de "Los Miradores".

Claro que yo no pensaba precisamente en estas cosas con la melancólica lucidez que ahora me asiste, en la infundada prisión que Tío Baltasar me había impuesto en mi cuarto de la quinta, aunque en verdad siempre andaban rondando dentro de mí, siempre las estaba analizando y sopesando, puesto que eran para mí vitales, y hasta cuando no ocupaban el campo de mi conciencia formaban un fondo, un "background" borroso y rumoroso, sobre el cual pasaban como sobre un telón inalterable los otros pensamientos inmediatos que a la larga me conducían a las imágenes que acabo de enumerar, las cuales ascendían entonces al primer plano, surgiendo de la penumbra donde, como ese río y esa destilería crepitante que cerraban el horizonte de mi casa, limitaban toda mi visión.

El episodio de la noche anterior pobló mi primer día de recluso. Giraba en torno de la mujer desnuda que aparecía entre los filodendros, y en cuyo examen retrospectivo yo encontraba un inédito deleite, mientras la reconstruía en la memoria, embelleciéndola con estampas superpuestas de los maestros italianos que se confundían con su inquietante realidad carnal. La sensación voluptuosa que de ella procedía y que sólo entonces, ya más tranquilo, podía captar plenamente, se mezclaba con el miedo que nacía de la actitud enigmática del traductor de Hugo. Por fin, aburrido y desazonado, me puse a escribir un poema que titulé concebiblemente "La Injusticia" y en el cual, con ser muy malo, vibraba (sólo ahora me doy cuenta de ello) una nota nueva, más personal, que acaso anunciaba mi poesía posterior, pues el tema erótico de la mujer desnuda, circundada por las sombras móviles de la fuente, se aliaba en él con el tema de la tiranía del hombre de la mano de madera que castigaba sin razón. Lo fuí escribiendo en octosílabos demasiado sonoros, ansioso, estrofa a estrofa, por leérselo a Simón y por saber si le gustaba.

¿Qué había descubierto yo en el invernáculo? Había descubierto lo que es una mujer y qué alegría hubiera sentido al deslizar sobre sus pechos mis manos trémulas y al apretarla contra mí. Y simultáneamente había descubierto que Tío Baltasar era hermoso, misteriosamente hermoso en su cólera, y que nos hostigaba a Simón y a mí, absortos de ingenuidad, por algo que no alcanzábamos a comprender, pero que sin duda iba más allá, mucho más allá, del estúpido retraso debido a la pesca de los pejerreyes.

Más tarde, al crepúsculo, la ventana de Simón se iluminó al otro lado del patio que centraba la magnolia. Tratamos de hablarnos como dos chicos, por medio de letras mudas, y si bien no nos veíamos y nos entendíamos muy poco, y me dolió no poder leerle "La Injusticia" que en ese momento consideraba admirable, mi soledad se fué llenando de sosiego, como si la luz de la habitación frontera hubiera entrado en mi cuarto oscuro y alumbrara uno a uno los objetos que en él había, desde el cuadro de San Miguel Arcángel y el retrato de mi madre y el bol azul de dulce de leche, hasta el pobre manuscrito garabateado que yo blandía, acompañando mis gestos impotentes, como un banderín de señales, en la gran casa que seguía navegando.

III

¿Y Berenice?, ¿y mi pobrecita, querida Berenice? ¿Cómo he podido escribir tantas páginas sin hablar de ella, sin nombrarla siquiera, cuando su nombre resuena siempre dentro de mí, y yo soy como una habitación poblada de fantasmas en la que de repente se levanta un eco de los rincones sombríos y repite: Berenice... Berenice.... Pero ya hablaré. Ahora hablaré de ella.

Cuando subí a la azotea del hotel, sólo hubo dos casas para mis ojos: las ruinas de la mía, de "Los Miradores", y la suya, la de Berenice, que está en la parte opuesta de la plaza, frente al busto de mi bisabuelo, y que medio esconden los paraísos. Es la casa de su padre, del músico, de César Angioletti, y tiene tres balcones de mármol y una lira de mampostería sobre la puerta gris. No he vuelto allí nunca. No podría volver. Entre esas dos casas se tendió, aprisionándome como una red invisible, la tela de mi vida sin sentido.

Berenice... Berenice... querida mía... Pronuncio su nombre en alta voz y torno a verla como la primera vez que la vi, porque esa imagen inaugural es la que siempre acude a mi espíritu cuando me pongo a recordarla, hasta que las otras imágenes sucesivas, cientos de imágenes, la siguen, integrando un séquito de formas leves cuya repetición excluye, por la multiplicación de su gracia, toda idea de monotonía, y que van, aéreas, detrás de la primera imagen que me fascinó, en una neblina de lágrimas.

Fué en el segundo día de mi penitencia. Era de mañana, temprano. Tío Baltasar y Tía Gertrudis habían partido ya, cabalgando a Mora y a Zeppo, esbeltos los dos y distantes, como si salieran de un castillo a recorrer sus posesiones. Para distraerme, estuve mirando la barranca cubierta de enredaderas penumbrosas que asfixiaban a los árboles. La barranca me pareció un gigantesco cuerpo de mujer disimulado por la manta verde y azul de los follajes, y fuí reconociendo sus curvas y aristas —los senos, junto a los ombúes; los muslos en el declive, junto a los talas—, de suerte que se me antojó que si un dios irónico hubiera surgido por allí y hubiera arrancado la espesa gualdrapa vegetal que todo lo oprimía, la oculta mujer hubiera aparecido debajo, desnuda, como una de esas colosales estatuas femeninas de los templos hindúes, que he visto en fotografías, acostadas en las selvas. Y esa mujer hubiera sido la mujer del invernáculo de Tío Baltasar.

De repente creí ser objeto de una alucinación y me sacudió una emoción vivísima, más intensa quizá porque en ese momento, precisamente, estaba pensando en la desconocida mujer. Las notas del piano de Tía Elisa se alzaron del lado del patio. Estaba tocando un vals, un alegre vals cuyo ritmo colmaba el aire alrededor de la magnolia y ascendía hasta mi cuarto como si el ejecutante se mofara de mí. Era el mismo vals que yo había escuchado la noche del invernadero, aquel que despertó de súbito dentro de la fuente sin agua, cuando la mujer empujó sin querer el resorte y el plato de estaño comenzó a girar lentamente con su ronda de figuras. Era el mismo vals. Sólo que si antes su cadencia se había desperezado, soñolienta, paulatina, como si en verdad despertara, y desenroscó su espiral voluptuosa entre el rumor del mecanismo oxidado, ahora esa curva se lanzaba apresurada al aire, ligera, gozosa, depurada de toda intención perversa y trazaba su arabesco fácil en torno de mí. Claro que yo no advertí esa diferencia, pues la sorpresa y —¿por qué no decirlo?— el miedo que me causó esa música, vinculada con una escena a un tiempo reveladora y desesperante, no me dejó discriminar en el primer momento las distinciones. Luego supe que era el vals del primer acto de "Romeo y Julieta" de Gounod, la "ariette" que canta la soprano —o sea algo perfectamente inofensivo y tonto—, pero mientras atravesaba mi dormitorio corriendo de una ventana a la otra en pos del origen de esa música inquietante, lo oí —por última vez— como algo fatídico, tenebroso, algo que encerraba una amenaza.

¡Qué broma del destino! ¡Con qué eficacia de dramaturgo el destino ordena las situaciones, y con qué dominio de compositor repite y transforma los temas! Ahora comprendo que este "tema" del vals de "Romeo y Julieta", tan anodino, tan pueril, estaba misteriosamente elegido para ser el tema de mi vida. Yo hubiera preferido, sin duda, algo más hondo, más patético, pero no... mi "tema" es ése y ya no se puede separar de mí porque me ha acompañado con su fondo en los momentos más decisivos de mi existencia.

Una extraña escena me aguardaba en el patio. En su centro, distribuídas debajo de la magnolia, unas veinte parejas bailaban el vals de Gounod, pero los danzarines lo hacían separados, enlazándose a veces con breve mímica ceremoniosa como si aquello fuera una pavana y no un vals. Y era un ir y venir de reverencias y de ademanes. Algunos llevaban unos trajes bonitos, como de pajes y muchachas del Renacimiento, y otros habían conservado sus ropas deportivas, cotidianas, de modo que entre los personajes antiguos circulaban jóvenes despechugados, con las camisas desabotonadas hasta la cintura, y un pañuelo en la mano que de tanto en tanto se pasaban por el rostro porque hacía calor; pero todos se movían al impulso de la misma cadencia, mezclándose, diseñando las distintas figuras. En un ángulo, donde estaba la horrenda marquesina "art nouveau" de vidrios multicolores, varios personajes —ésos sí trajeados todos con jubones y faldas anchas y birretes de plumas— observaban la fiesta, y en ellos reconocí a varios muchachos y chicas del colegio de Tía Elsa. Entonces recordé que "la Docente" preparaba, para reanudar los cursos dentro de un mes, algunas escenas de "Romeo y Julieta" con un afán de "cultura" que, si no hubiera sido por el total desdén del traductor de Hugo hacia cuando se relacionaba con las tareas escolares, me hubiera hecho suponer que era sugerido por mi tío.

Los ensayos habían tenido lugar hasta esa ocasión en la escuela. Quizá mi tía lo había convencido a su hermano de que, aprovechando una de sus cabalgatas, por lo menos una vez le dejara juzgar el efecto en el patio de "Los Miradores", donde había un trozo de corredor claustral. A mí, de acuerdo con la imposición aisladora de Tío Baltasar, no me dejaron tomar parte, aunque me hubiera divertido andar entre esos muchachos y muchachas diciendo los versos de Shakespeare.

Seguramente la incorporación del vals de Gounod, tan poco apropiado, había sido idea de Tía Elisa. ¡Quién sabe!... un recuerdo de su época de Europa, o de los años del palco en el Teatro Colón... Y Tía Elisa, invisible para mí pues se hallaba en nuestra sala, sentada al piano, con la ventana abierta frente a los bailarines, martillaba las teclas con ritmo cruel para que las parejas no perdieran el paso.

Era de nuevo, ya lo dije y lo reitero pues la coincidencia me sigue asombrando, la música del invernáculo, pero ¡cómo se transfiguraba y alivianaba en el patio de la quinta, mientras Romeo, Teobaldo, Benvolio y Mercucio, agitándose demasiado debajo de sus máscaras verdes y amarillas, se preparaban, aprendiendo sus papeles y odiándose como auténticos Capuletos y Montescos, para las próximas escenas de muerte.

Entre tanto el vals del primer acto proseguía, y yo, ¡pobre de mí!, lo vinculaba con la mujer del invernáculo y con las figuras de estaño irrefrenables que habían danzado también una ronda mucho más despaciosa, resbalando sobre los filodendros al compás de esa melodía.

Entonces, entre las parejas que se saludaban y se tomaban de las manos y arqueaban los bustos en medio de los gritos de Tía Elisa ("uno, dos, tres — uno, dos, tres"), distinguí una silueta adolescente más bella todavía y espigada que las demás. Era una muchacha —aunque dudé al principio— vestida de varón, de paje, de invitado al festín del viejo Capuleto. Ceñía con negras calzas sus largas piernas; lucía un jubón rojo y se tocaba con un birrete rojo también, diminuto como un solideo, puesto casi en la nuca. Probablemente los trajes, vistos de cerca, habrían perdido mucho de su suntuosidad, por la modestia de las confecciones realizadas por las madres del pueblo y de los metros de liencillo descubiertos en la tienda de Doña Carlota por Tía Elisa, pero desde mi altura parecían maravillosos, y más que ninguno ese llameante jubón que se inclinaba, esas estrechas mangas que modelaban su dibujo, ese gorro, esa armonía admirable que sobresalía entre las otras, aun entre las vestidas como ella, de suerte que sólo ella era digna de traer hasta el patio de "Los Miradores" un reflejo de la Verona lejana que yo conocía detalladamente por orden de Tío Baltasar.

Debajo de mí se detuvo el piano y resonaron las palmadas de Tía Elisa. Paráronse los bailarines.

—¡Esto va muy mal! —gritó mi tía—. ¡A ver, Berenice, muéstrales tú! ¡Allí adelante, sola...!

Mi paje avanzó, obediente, hasta la marquesina, y en el piano recomenzó el vals "animato", para que el paje alzara los brazos, torciera la cintura y estirara las finas piernas enfundadas de negro, en tanto que los cortesanos de Verona, refugiados en las sombras de la galería con sus capas, como conspiradores, tomaban grandes vasos de agua con azúcar y murmuraban del ejemplo que se les brindaba cuando ninguno de ellos creía necesitarlo.

Yo, asido de mi reja como un encarcelado a quien

no veía nadie, sentía entretanto que me invadía una incontenible felicidad porque el paje era una mujer y porque al oírla nombrar por mi tía la había identificado con Berenice Angioletti, la hija del músico.

Berenice... Berenice... Berenice... Podría pasarme horas recitando tu nombre...

No la había conocido antes por la sencilla razón de que cuando éramos muy chicos jamás había conseguido yo relacionarme con gente del pueblo, y porque su padre la envió después a un colegio de Buenos Aires; pero en la escuela de Tía Elisa los muchachos hablaban de ella, a veces, con el vocabulario truculento propio de la infancia, declarando que era "macanuda", que era "macanuda"... y eso definía (lo comprobé cuando la vi y la traté) a un ser irreal, de una belleza delgada y morena, hecha de pómulos y pelo lacio, un ser que parecía elaborado, creado para mí, porque todo en ella, desde la delicadeza de las manos hasta el rasgado de los ojos verdes y la sonrisa que comenzaba siendo un poco triste y que terminaba por alumbrarle el rostro y el cuerpo frágil entero, y hasta la voz baja también y la indecisión en los ademanes, que cuando bailaba podían ser tan justos, estaba destinado a exaltarme y conmoverme.

La precedía la leyenda de su origen que, por tener ciertos puntos de contacto con el mío, la aproximaba a mi intimidad, y tanto que cuando yo le había oído a Úrsula referir la historia del matrimonio de sus padres había comprendido que un lazo secreto me ataba a ella, porque ambos hemos sido hijos del amor y de su capricho.

Según esa versión —cuya imprevista veracidad comprobé después— César Angioletti, pianista italiano de relativo renombre, había abandonado su carrera para casarse con la futura madre de Berenice. Angioletti llegó a Buenos Aires en el curso de una jira de conciertos que lo había detenido en Río de Janeiro y en San Pablo. De la Argentina debió seguir a Chile, al Perú, a Venezuela y a los Estados Unidos, pero aquí concluyó su viaje. Antes de partir para Santiago dispuso de una semana libre, y su empresario, que le había cobrado gran afecto, lo invitó a que lo acompañara al campo unos días pues pensaba comprar una chacra. Así combinó las cosas el destino para que César Angioletti viniera al pueblo, a este pueblo, y para que con su empresario parara en el mismo hotel donde hoy escribo, frente al solar en el que se levantaría su casa. En el hotel conoció a Matilde Serén, la hija de Don Fulvio, el fabricante de coches, y de inmediato se enamoró de ella, de su lánguida hermosura y de su estética melancolía provinciana, con una pasión propia de un italiano del sur, frenético intérprete de Chopin. El empresario advirtió con espanto que su pianista se le escurría entre los dedos, que no le pertenecía ya, que cuando le hablaba de contratos y programas César Angioletti lo miraba con ojos ausentes y barría con un solo ademán de sus manos magníficas la posibilidad de conversar en serio. Angioletti estaba enamorado, estaba enamoradísimamente enamorado, y ya nada le importaban Santiago de Chile, Lima, Caracas, México, Tegucigalpa (*mi* Tegucigalpa). San Francisco de California, Denver, Kansas, Cincinnati, Filadelfia y Nueva York y la gloria norte y sudamericana... nada... nada... sólo le importaba este pueblo perdido frente a un río de sauces, y esa mujer encantadora como María Wodzinska, inspiradora como la princesa Czartoryska o la condesa Potocka, obsesionante como George Sand, que resumía —así lo pensaba él por lo menos, con la enternecedora ceguera de su amor— a todas las mujeres de Chopin, y que lo había esperado en un rincón de la provincia de Buenos Aires, pálida y dulce, un poco agobiada por el gran rodete de ébano, como escapada de un retrato del siglo XIX. No hubo nada que hacer, nada que hacer, y se casó con ella. De modo que los contratos se anularon o se postergaron, justificando que el empresario maldijera mil veces su idea de llevar a un romántico desequilibrado a un lugar tan absurdo y tan inesperadamente tentador para que sucumbiera allí como un adolescente sin experiencia, con una actitud digna de ese Chopin enfermizo a quien se parecía hasta en los rasgos y el largo pelo y las corbatas fúnebres. Se casó y no fué ni a Santiago ni a Lima ni a Cincinnati ni a ninguna de las ciudades de donde le expedían airados telegramas, porque, si bien al principio sus proyectos siguieron en pie y se dijo que no hacía más que posponer sus conciertos para un futuro próximo, la idolatría de Matilde Serén lo anuló más y más, confinándolo en el pueblo.

—Y también los celos —añadió Úrsula—. No quería llevársela con él a esas capitales llenas de gavilanes, entre los cuales hubiera llamado la atención su señora. ¡Qué linda era, Dios mío!, ¡y cómo temblaba de que se la sacaran!

Así que los celos lo condenaron a permanecer en el pueblo, a hundirse en su mediocridad. Los celos, supongo yo, y acaso una falla del ánimo, una rotura en los impulsos de su mecanismo interior, que ya vendría minado cuando llegó aquí. Quizá se hubiera dado cuenta de que en el fondo carecía de talento, de que su brillo era superficial, como eran aparentes sus desplantes meridionales, y de que adolecía de una flaqueza, de una debilidad que, si se manifestaba en su carácter —como lo refirmaron su matrimonio y su retiro—, se habrá dejado ver algunas veces (que él ocultó, por cierto) en sus fallas de ejecutante, de modo que la extensa jira planeada y todo lo que vendría después (y los fracasos posibles, más fuertes que su voluntad y que sus recursos técnicos) lo asustaron. Pero estas son suposiciones mías... aunque no descarto la posibilidad de que algo así, oscuro, que se escondía en la esencia de su sensibilidad de pianista, haya pesado en el mismo platillo de la balanza, junto con su amor por Matilde Serén, para obligarlo a quedarse aquí para siempre, cuidando a su mujer hermosa, a la que encerró en un serrallo de música, de celos y de adoración.

Don Fulvio Serén, el carrocero, era rico. Durante muchos años había construído los "tilburíes", las "charrettes" y las volantas de estilo un poco rústico, que cimentaron su fortuna. Sin embargo cifraba su vanidad en coches de mayor jerarquía, como el estupendo landó de ocho elásticos que le compró Tío Nicolás, como los "milords" de líneas redondas y las lustrosas berlinas de duelo y la gran calesa atada a la d'Aumont que las ciudades y pueblos de la zona utilizaban para llevar coronas de flores en las ceremonias patrióticas, o como vehículo de propaganda en los desfiles de Carnaval. Por las tardes, en la sala de su yerno, solía entretenerse, sentado en una mecedora detrás de las persianas, en reconocer los coches que pasaban por el crujido sutil de los elásticos, de las ruedas, de la caja, de la capota...

—Es la volanta del Dr. Pilatos —decía—. La hice en 1903.

Su hija y sus coches constituían su mundo y su felicidad. Quería que la una y los otros fueran perfectos, y a Matilde la miraba con un cariño tan hondo y una atención tan aguda, al valorar los detalles delicados que ennoblecían su estructura, como había mirado a su bello "game car" —el único que tuvo la suerte de construir para mi bisabuelo— y que tenía un espacio para la jaula de los perros de caza. Ese "dogcart" permanecía, abandonado, en la cochera de "Los Miradores". En él dormía Don Giácomo, el atorrante; las gallinas picoteaban entre sus cuatro ruedas, y a veces el gallo saltaba, intrépido, hasta los asientos en los que habían partido zarandeándose los próceres y Don Damián, a cazar liebres y algún zorro, como si estuvieran en Escocia.

La alianza con César Angioletti le pareció a Don Fulvio algo soñado, digno de la calidad de su hija. Un músico, un gran músico, elegante como Chopin, elegante como un "cupé Brougham", algo único, que ninguna de las muchachas del pueblo poseería, y que seguramente renunciaría a su carrera —eso lo presintió con sagacidad— para quedarse allí, como un objeto de lujo que él le proporcionaba a Matilde, pues para algo le sobraban dinero y astucia...

A fin de comprometerlo más y eludir el riesgo de que se llevara a su hija, mandó edificar sobre la plaza, en el sitio más valioso del pueblo, la casa de tres balcones cuya puerta se coronaba con una lira simbólica. Y frente a la calle, a lo largo de los tres balcones de airosos balaústres, ubicó la sala de música decorada con paneles que especialmente pintaron en Buenos Aires, y en los que faunos y dríadas trenzaban su ronda de velos y flautas bajo una capa de barniz espesa como una salsa, casi comestible. De suerte que si Angioletti imaginó que Matilde era su prisionera, y por eso mismo, para murarla en una celda de sospechas italianas, abandonó los peligrosos halagos de Oklahoma, de Lyon, de Trieste y acaso de Roma y de París, la verdad es que ambos fueron cautivos del viejo malicioso que gozaba con las filigranas de su triunfo, de ese casamiento, de esa obra de arte vital y exquisita auspiciada por él, pulcra y exacta en su armonía como el célebre landó de Tío Nicolás.

Como Wladimir Ryski, César Angioletti cedió ante la gracia de una mujer de nuestro pueblo. Ambos eran extranjeros y ambos, cada uno en su género, artistas. Pero el matrimonio de mis padres fué dramático a causa del mundano orgullo de Tío Baltasar y de Tía Gertrudis que pareció empujarlo, desde el comienzo, a su trágico fin, mientras que el de los padres de Berenice, que colmaba las aspiraciones de Don Fulvio y exaltaba la presunción pueblerina, desarrolló su evolución en una atmósfera benévola, a la que los celos añadían su plástico esplendor necesario, su requerida dosis de inquietud, una atmósfera de amor constante —similar a la que envolvió a los míos— que se enriquecía sin cesar de música, cuando Angioletti se sentaba al piano para que lo escucharan su mujer, su hija, su suegro, el cura párroco y el director del periódico, sin la nostalgia de auditorios más expertos que descubrirían, latente en el intrincado tema de la mazurka de la Polonesa en fa sostenido, o en el oscilante Nocturno en sol mayor, el miedo, el miedo que sobrecogía a César Angioletti de no encauzar el radioso torrente chopiniano, porque sus largas manos y su pobre corazón no alcanzaban a transmitir todo lo que bullía bajo sus mechas sacudidas, volcadas como plumas sobre el alto cuello.

Lo lógico hubiera sido que Tío Baltasar, traductor de Victor Hugo, y Angioletti, traductor de Chopin, hubieran aunado sus soledades aristocráticas, pero sus caracteres chocaron desde el primer momento y no se vieron más. Sobre todo Tío Baltasar no le perdonaba al músico el desdén con que hablaba de los viajes; no le perdonaba que "se hubiera cortado las alas" —lo expresaba así— "para meterse en un pueblo de imbéciles, en lugar de ir por el mundo con su genio". Y es que Tío Baltasar no podía comprender que para César Angioletti la idea del viaje, del hotel, del abrir y cerrar de valijas, del entrar en proscenios distintos donde los pianos lo aguardaban como dragones negros, se relacionaba invenciblemente con la idea de angustia, en tanto que para él, con bastante arbitrariedad, era inherente a la idea de victoria y de liberación. El uno temía a los viajes; el otro tenía hambre de ellos. Y no se entendieron, a pesar de Chopin y de Hugo. También lo habrá crispado a Tío Baltasar la noción de que Angioletti fuera yerno del carrocero, de que hubiera descendido de las altas temperaturas del arte a un ambiente burgués, tibio, "ni fu ni fa", pavorosamente clase media. Y lo habrá crispado la certidumbre de que a través de ese matrimonio fuera rico. Se me ocurre, en cambio, que mi padre y el pianista se hubiesen interpretado y hubiesen sido amigos, por encima de la pasión trashumante, gitana, del prestidigitador, siempre listo a andar y andar, y del afán sedentario del músico, cuyo piano quedó para siempre varado frente a la plaza del pueblo, porque mi padre no era por nada polaco, y polaco hasta la punta de las uñas, como Chopin, y eso lo colocaba, junto a Angioletti, en una zona sensible desde la cual ambos verían, pequeñitos como títeres, a los personajes ecuestres de "Los Miradores" y al carrocero estirado en el "milord" de ruedas amarillas, que en su pequeñez se creían dueños del mundo.

Berenice... Berenice... Las parejas regresaron a sus puestos y el vals recomenzó: *"uno, dos, tres - uno, dos, tres"*, pero yo ya no tuve ojos más que para la muchacha que me había fascinado, y aunque desde mi ubicación no la distinguía bien, por la distancia y la trabazón de sus compañeros que a cada momento se equivocaban, fué como si ella siguiera bailando sola y bailando para mí, en el gran patio de "Los Miradores", mientras yo aguzaba mis sentidos para recoger cada movimiento suyo, para escuchar su voz (cosa imposible), para captar todo lo suyo, todo lo que me iba entregando y revelando, inocentemente, allá lejos, bajo la magnolia, sin advertir que en ese intercambio —en el cual ella actuaba pasivamente, ignorante de las emociones que provocaba— yo, el estático, el prisionero, el escondido detrás de mi reja, era quien daba más para la construcción de nuestro amor futuro, pues ponía los resortes más sutiles de mi imaginación al servicio de la pasión que iba creciendo, y echaba mano de cuanto poseía de ella —de la historia poética de sus padres; del misterio casual de esa música inseparable de la conmoción moral y sensual del invernáculo; y hasta del hecho de que estuviera vestida así y acudiera ante mí como si llegara desde el fondo del tiempo, desde los siglos, desde siempre, resumiendo lo mejor y lo más hondo, como un paje que pudo ser mi camarada y como una muchacha que para manifestarse debía bailar—, para construir el amor que sería el fundamento de mi vida y que yo ansiaba y necesitaba desesperadamente en mi soledad condenada a viajar sin moverse.

La amé en seguida, pero también es evidente que estaba pronto, maduro, para ese amor, hacia el cual me conducía todo desde la infancia: los relatos de Úrsula; las conversaciones que había mantenido con Simón y sobre las cuales la sombra del amor planeaba de repente, un segundo, como la sombra veloz de un pájaro; y en especial cierta intuitiva adivinación que, cuando nombraban a Berenice en el colegio, antes de que yo la conociera, me conmovía por la sola virtud de ese nombre raro y eufónico que era como el eco de la singularidad de su padre y de la belleza de su madre.

Simón se asomó a su ventana, y yo, rebosante, feliz de comunicar mi hallazgo, le hice señas y le hablé con letras mudas, guiando su atención hacia el paje, hacia el juglar de largas piernas. Por fin me comprendió; lo buscó entre los danzarines y luego volvió sus ojos hacia mí, como extrañado, meneando la cabeza. Me eché a reír. Claro que me creería loco; tenía toda la razón del mundo para creerlo. Yo no había cruzado ni siquiera una palabra con Berenice... con Berenice... con Berenice... la veía por primera vez... y ya estaba entusiasmado, radiante, y bailaba en mi habitación al ritmo del vals de "Romeo y Julieta".

Mi amigo se esfumó y a poco partieron también los escolares. Ninguno alzó la mirada hasta mi reja; ninguno me vió, aunque los chisté quedamente para no alertar a Tía Elisa, y el patio quedó más solo que nunca, reconquistado por el inmenso rumor del verano, de la refunfuñante destilería, de los gorriones, de los grillos, de las cigarras. Pero yo no estaba solo. Tenía conmigo, en mi cuarto, la imagen de Berenice, la imagen a la que no quería dejar huir detrás de la que me la había confiado sin saberlo. Y me apliqué a rescatarla, a pulirla, a atesorarla, iluminándola con las luces de mi memoria y de mi invención. ¡Qué a punto estaba yo para amar!, ¡qué rápido obedecí a su orden! Todavía ignoraba que me había enamorado, porque antes no había amado y porque la victoria del amor sobre mí fué avasalladora e inmediata y no me dejó tiempo para recapacitar, para analizar lo que me sucedía, y ya le pertenecía, ya le pertenecía a ese paje de la fiesta de Capuleto cuya manera de arquear los brazos y doblar la cabeza había sido suficiente para ponerme en la mitad del pecho algo nuevo, doloroso y dulce, que no hubiera cambiado por nada, por nada, ni por la gloria que ambicionaba Tío Baltasar, ni por la fortuna que ambicionaba Tía Gertrudis, ni por la paz doméstica que ambicionaba Tía Elisa, porque nada podía compararse con su maravillosa exaltación.

Por la tarde recordé que entre los libros que Tío Baltasar había apartado para mis próximas lecciones había un ejemplar de las tragedias de Racine, y que entre ellas figuraba una titulada "Bérénice". La busqué y entré en su lectura, como si descubriera un mundo.

¡Qué extraño es el amor!, ¡qué imprevisibles son sus efectos! Antes, realizar una lectura como ésa hubiera significado para mí cumplir con un deber, dar un paso más en la monótona preparación erudita de mi viaje, con Tío Baltasar por "cicerone". Y ahora, merced a Berenice, todo se modificaba. Lo que antes hubiera visto en esa obra era una tarea más de las muchas que Tío Baltasar me imponía, algo tan seco y árido como el aprendizaje de las estaciones de ferrocarril de París en el Baedeker, porque para mí todo estaba igualmente condicionado —lo mismo el Baedeker y los "Guides Bleus" de Hachette que las tragedias de Corneille y de Racine y la historia de los estilos arquitectónicos— por la finalidad última del viaje que liberaría a mis tíos, mientras que ahora bastaba el hechizo de un nombre y unos gestos, y también —pero de eso, que es lo principal, no me percaté entonces— el haber penetrado en una atmósfera que me arrebataba y enardecía como un vino fuerte, para que la obra de Racine lograra otra dimensión y trascendencia.

¡Qué maravilla! He leído mucho, mucho, por obligación y por placer, pero jamás leí como esa tarde. Los alejandrinos me levantaban, me transportaban en su majestuoso olear. Y Berenice, mi Berenice, aparecía y desaparecía entre ellos, mientras la triste historia del amor de Tito, emperador de Roma, y de Berenice, reina de Palestina, desarrollaba su dramático tema de miedo, de razón y de esperanza. Ni un instante la vi a la Berenice trágica con la antigua túnica, ceñida la frente por una diadema que le alzaba la ensortijada cabellera. No. Berenice siguió siendo mi Berenice, mi paje-niña, mi juglar de los Capuletos, y su llanto melodioso resonaba en los aposentos imperiales, entre las infinitas columnas cesáreas, pero se prolongaba hacia la marquesina "art nouveau" de mi patio, bajo la cual, como unas horas antes los conspiradores Montescos, iban ahora los confidentes de Tito y de la reina. ¡Cuánto gocé y sufrí esa tarde! Los versos me resbalaban sobre la lengua. Los paladeaba. Los repetía:

"Dans un mois, dans un an, comment souffrirons-nous
Seigneur, que tant de mers me séparent de vous,
Que le jour recommence et que le jour finisse
Sans que jamais Titus puisse voir Bérénice,
Sans que de tout le jour je puisse voir Titus?

Y si es cierto, por una parte, que ese amor que golpeaba a la puerta de mi desamparo tumultuosamente, me reveló en una hora lo que Tío Baltasar no hubiera conseguido hacerme entender en una vida, o sea la estupenda belleza clásica y su capacidad de conmover, de remover el alma, gracias a la transmutación que me hizo absorber los sentimientos y las expresiones de Racine, aplicándolos a mis propios sentimientos excitados, en las condiciones más propicias (y al proceder así me entregó las llaves de un mundo generoso, de un Paraíso que corrí el gravísimo riesgo de perder para siempre), es cierto también que la pasión raciniana y su vaivén de ternuras adversas me aprestó, me afinó para el amor que venía, que se modelaba en mí. Por eso hoy bendigo a la remota Enriqueta de Inglaterra que le sugirió a Racine su argumento. La bendigo, en la dorada lejanía de 1670 y de Versalles, junto al gran poeta empelucado que acogía respetuosamente su indicación. Merced a ella, mi amor de muchacho sudamericano, nacido casi tres centurias después de la escena cortesana —y en un sitio y unas circunstancias que ni siquiera Jean Racine, con ser, por poeta, clarividente, ni todos los escritores áulicos del Gran Siglo que rotaban alrededor del rey solar hacia su destino de antología, hubieran osado presentir, aun dando rienda suelta a su mayor extravagancia—, mi amor se nutrió en la cuna de una riqueza incomparable.

Así estaba yo, la segunda tarde de mi penitencia, en los umbrales mismos de Berenice, con Jean Racine a mi lado. Mi romanticismo polaco, mi sangre de hijo de un inventor de juegos poéticos, bullía. Y el resto naufragaba bajo la marea de alejandrinos que cubría "Los Miradores". Apenas sobrenadaba Simón, ni amigo, mi pescador de pejerreyes, en el torrente sonoro. Pero de él no me acordaba casi, y si me acordaba era para decirme que en cuanto nos viéramos le comunicaría los hallazgos que me abrumaban con su complejidad prodigiosa. Berenice, el birrete rojo en la nuca, pasaba por la corriente musical que combinaba fantásticamente el vals de Gounod con los versos de Racine. A veces, como un relámpago blanco, de nacarados reflejos, la mujer desnuda del invernáculo surgía junto al paje escarlata, pero al punto desechaba esa imagen lúbrica, azuzada por Tío Baltasar, que me incomodaba —y que sin embargo, en una zona aparte, vedada y secreta, parecía estarme esperando—, para tratar de percibir en el oleaje de los versos racinianos, que fluían como los ríos de Rubens, trenzados de seres mitológicos y de amorosas alegorías, tan distintos del lento río que bogaba frente a casa entre palmeras, la voz desconocida de mi Berenice que me hablaba con la voz apasionada de la reina, sin saber cómo le respondería yo si me atreviera a hablarle.

IV

Al día siguiente, domingo, me levanté temprano. Ardía en deseos de salir, de acercarme a Berenice. Le dije a Tía Elisa, a quien la encontré tomando el desayuno en el comedor, que la vería en la iglesia, y escapé hacia el pueblo. Pensé, un segundo, aproximarme a la reja de Simón y llamarlo, para que juntos emprendiéramos la aventura, pero una fuerza instintiva me retuvo. Ya me separaba de él. Ya necesitaba estar solo con mi amor dentro de mi amor, en el aire nuevo del amor. Sin que yo me percatara de ello, el egoísmo amoroso me guiaba ya. Y me robustecía también, puesto que me daba ánimos para asumir una responsabilidad tan grande como la que implicaba mi partida hacia el pueblo sin pasar antes por el invernáculo, donde Tío Baltasar estaría esperándome sin duda, y donde, de asomarme, acaso hubiera corrido el riesgo de que mi tío me negara la autorización de salir.

Escapé, pues, alegre, saltando como un gamo por las calles que refrescaba la sombra de los paraísos. Atravesé la plaza estremecida por el son de las campanas de San Damián, y me senté, trémulo, en un banco frente a la casa de Berenice. Hasta entonces no me había fijado mucho en su arquitectura, pero esa vez, en el curso del tiempo largo que allí estuve, teniendo a mi espalda el busto de mi barbudo bisabuelo, ¡con qué apasionada minucia analicé cada detalle de la fachada!, ¡cómo viajé —yo, enemigo de viajes— por los balaústres de mármol, por las cornisas, por la lira enarcada como un torso de mujer!

Las gentes que iban a misa o de ella regresaban, las que llegaban a la panadería, a comprar el pan y las medialunas crujientes que no se repartían los domingos; las que leían los diarios y los programas de cine al amparo de la arboleda, seguramente habrán reparado en mí, en el muchachito de "Los Miradores", el muchachito del polaco, que, inmóvil en su asiento duro, escudriñaba la casa de Angioletti. Pero yo no los vi; no me importaron. Yo sólo veía la casa prodigiosa de Berenice. Y aunque a veces, para disimular mi actitud por si alguno de la casa atisbaba hacia afuera a través de los postigos, emprendía entre los canteros una corta caminata que no hubiera engañado a nadie, en seguida volvía a mi banco a espiar, feliz, muy feliz, pues si bien no me detenía a apreciar nada de lo que me rodeaba, ni la nobleza de los viejos árboles, ni la gracia del templo, ni el empaque de la municipalidad y su recova, estaba como impregnado, como bañado por la atmósfera radiante que me envolvía, en la que cada elemento —las ramas airosas, los capiteles corintios, las campanadas sueltas, la lira, las monologantes palomas y los vestidos floreados— me comunicaban lo mejor de sí, me lo regalaban para completarme, para formar parte de mí hasta trocarme en un ser que era también vegetal y mineral porque a todo lo resumía en su tensión.

Por fin, cuando hubo transcurrido más de una hora y la plaza se había vaciado casi pues había comenzado la misa de diez (la "elegante" era la de once), el piano despertó en la casa de César Angioletti. Era, naturalmente, algo de Chopin; algo que se alzaba, imperioso, y crecía en la plaza quieta, mezclándose con el arrullo de las palomas y con el tañido de las campanas. Me acerqué a los postigos pero nada pude distinguir en la sala oscura, así que retorné a mi banco. La música de su padre, que era la música del mío, tendía un puente de notas, un pentagrama invisible, desde la casa de la lira hasta mi banco, para que mi amor fuera por él hacia Berenice. ¿Qué más podían desear mis diecisiete años?, ¿qué más hubieran deseado? Hubieran deseado, como es lógico, que las ventanas se abrieran y que Berenice apareciera en el balcón central, quizá con la ropa de paje que era la única que yo le conocía; y que me hubiera visto en el banco de piedra y me hubiera sonreído. Pero eso no sucedió.

Tía Elisa, Tío Baltasar y Tío Fermín pasaron hacia la iglesia, y no me descubrieron tampoco. Tía Gertrudis no asistía al oficio. Era atea. A esa hora leía novelas o escuchaba radio, tendida en la cama con sus dos "collies". Tío Baltasar no creía en Dios como la generalidad de los mortales. Su Dios personal era el Dios rimado de Victor Hugo. Pero concurría a la misa de once para afirmar su jerarquía, pues lo primero que hacía, al entrar en el templo, era desalojar con un ademán, con un seco golpe de su mano de madera, a las beatas rezongonas que ocupaban los reclinatorios de nuestra familia, frente al altar mayor, los reclinatorios que Don Damián había hecho colocar allí, con la placa brillante de su apellido, y se ubicaba en el del medio, sintiéndose tal vez un poco feudal porque usaba botas, porque nadie hubiera osado disputarle su mueble ancestral, y porque consideraba al párroco como si fuera el capellán de "Los Miradores". En cambio yo solía quedarme atrás, entre los muchachos y los mendigos.

A poco se abrió la puerta de la casa de Angioletti. El viejo Fulvio Serén, que caminaba agobiado, apoyado en un bastón nudoso; su hija Matilde, cuya belleza se había afinado con los años; su yerno César, que había engordado y cuyo largo pelo encanecía sobre el cuello demasiado alto, demasiado chopiniano, de su traje; y su nieta Berenice, atravesaron la plaza lentamente. Yo los seguí hasta el atrio, con los ojos prendidos de Berenice, que llevaba un sencillo vestido gris y un velo negro. ¡Qué hermosa era, Dios mío! No tan hermosa, según los cánones clásicos, como su madre... pero para mí era mucho más hermosa, más sutil todavía y delicada, con el pelo lacio, mate, que asomaba bajo la mantilla, y aquella línea emocionante de sus ojos verdes, los cuales se posaron sobre mí un segundo.

Fuí tras la pequeña comitiva que avanzaba sin hablar. Tras ellos entré en la iglesia. Los ojos de Berenice se detuvieron un instante en la urna que encierra los restos de mi antepasado, el general, el que murió hace un siglo en la cruel batalla que ensangrentó al río, cuando los jefes, con un gesto que parece de la Edad Media o de las rapsodias de Homero, resolvieron encadenar al río como si fuera una deidad mitológica, y tendieron de una orilla a la otra los férreos eslabones para retener a las naves. Y así como Berenice me había revelado el día anterior la magia poética de Jean Racine, por la sola virtud de su nombre, ahora, con la mirada que lanzó hacia la urna que Don Damián había emplazado allí, junto a la pila de agua bendita, para honrar a su padre, me hizo sentir algo que hasta entonces no había sentido yo: el orgullo de mi sangre materna, de ese nombre ilustre, de ese héroe transformado en tristes cenizas, cuya gloria bastaba para atraer un momento los ojos calmos de Berenice hacia la urna cubierta de alegorías y trofeos.

Como si me moviera en medio de una nube dorada,

caminé por el centro de la nave (ellos se habían distribuído ya en uno de los bancos laterales) hacia los reclinatorios de mi familia. Tío Baltasar y Tío Fermín (Tía Elisa andaba por la sacristía) me vieron llegar con sorpresa. Toda la atención provinciana del templo giró hacia mí. Me ubiqué en el reclinatorio central, el tapizado de felpa roja y que solía dejarse vacío, pues ostentaba en su placa el nombre de Tía Ema. Tío Baltasar, de pie, cruzados los brazos, me observaba de hito en hito. Quizá se le haya ocurrido que con esa invasión insolente yo me vengaba de mis dos días de penitencia. Y el oficio empezó, acompañado por el órgano reumático en el que Tía Elisa repetía al "Ave María" de Schubert con múltiples variaciones audaces y equivocadas.

¡Señor, Señor! ¡Perdóname, Señor, pero ni una vez pensé en ti mientras duraba el sacrificio! Pensaba en Berenice... en Berenice... en Berenice que, unas filas de bancos atrás, sin duda estaría mirándome (así lo esperaba yo, por lo menos), medio oculta por el devocionario. Quería que me viera, que se ocupara de mí. Y tú, Señor, te has cobrado mi deuda, la deuda de mi vanidad, pero... a qué terrible precio...

Las columnas de incienso, las exigentes campanillas, el órgano... era como si toda la liturgia funcionara para mí, sólo para mí, para exaltarme... Y allá arriba, en los "vitraux" ejecutados en Alemania, los santos que llevaban los nombres de mi familia y que la altanería de Don Damián había elegido para las ventanas góticas, se inclinaban hacia mí, en la perfumada bruma, como si alentaran mi humana pasión... San Damián, el físico, el que ejerció la medicina en Arabia, y a quien circundaban frascos farmacéuticos y extraños instrumentos quirúrgicos; San Nicolás, agobiado por la pompa de su casulla; y los franciscanos: San Francisco, Santa Clara, San Diego de Alcalá, San Félix Cantalicio; y San Baltasar, el negro, el rey mago, con una copa de mirra en la diestra; y Santa Gertrudis de Nivelle, abadesa, con un báculo por el cual trepaban los ratones pequeñitos... Nunca los había estudiado como esa mañana; nunca los había sentido tan próximos, tan míos, porque por primera vez me sorprendía la idea loca de que me pertenecían y de que podía ofrecérselos a alguien, a Berenice, en la majestad de sus mitras, de sus coronas, de sus dalmáticas y de sus trajes bordados... Aun más, se me ocurría irrespetuosamente, casi sacrílegamente, mientras los latines rituales seguían susurrando en el altar alrededor de la custodia, que los santos patronos me estaban presentando en ese momento ante Berenice, como embajadores, en condiciones inmejorables. Cerraba los ojos y veía que iba entre ellos, en suntuosa procesión, bajo las arañas que habían sido del salón de baile de "Los Miradores" antes de que Tía Ema las donara al templo —y San Nicolás llevaba en las manos de vidrio, como una ofrenda, la urna de bronce que contenía las cenizas del general—, hacia el banco donde me aguardaba Berenice... donde Berenice aguardaba al muchacho que venía escoltado por la música del "Ave María" de Schubert cantada por doña Carlota, la tendera, y por Don Víctor, el cartero, entre la abadesa Santa Gertrudis de Nivelle y el rey negro de la Epifanía y las figuras del santoral de la torre en llamas, descendidas del cielo multicolor de los ventanales, flotantes, solemnes y obsequiosas, que al avanzar columpiaban los alejandrinos franceses de Racine para que mi séquito fuera digno de la reina Berenice.

En esas cosas bizantinas pensaba yo, en tanto que el párroco italiano pronunciaba su sermón eterno, y Tío Baltasar, de pie, el único de pie de toda la concurrencia, daba breves golpes con su mano de madera en el reclinatorio, y sonreía, hermoso y distante, como si la pronunciación ridícula del cura lo divirtiera y lo impacientara simultáneamente, y como si no tuviera más remedio que condescender a que el espectáculo se siguiera desarrollando, porque a ello lo obligaba su posición. Por fin calló el órgano y el sacerdote rezó las últimas oraciones. Tío Baltasar me tomó del brazo imprevistamente, como si la escena del invernáculo no hubiera tenido lugar, y salimos juntos. Yo rogaba —quizá les rogaba, sin nombrarlos, a San Diego, a San Félix, a San Sebastián, a Santa Gertrudis y al otro Baltasar, el de ébano— que las circunstancias permitieran mi encuentro con Berenice al lado de la pila de agua bendita, donde Tía Elisa estaría aguardándonos como siempre, con la cinta blanca de la congregación puesta sobre el pecho. Pero antes de llegar allí, en la lentitud de la marcha entorpecida por los que se arrodillaban al dejar los bancos, mis ojos ávidos tropezaron, primero, con los de una mujer de cara ancha y sombrero verde, en quien reconocí con asombro a la mujer desnuda del invernáculo (y entonces, sin refrenar mi impulso, me volví hacia Tío Baltasar para encontrar su rostro desdeñoso, impasible), y luego con los de Simón, que más allá me miró hondamente, en el fondo de los ojos, como hurgándome, con una expresión que yo no le conocía, dolorida y acusadora. No tuve tiempo para ellos, ni para la mujer ni para Simón —que en otra oportunidad me hubieran preocupado y detenido—, porque noté que Berenice y los suyos estaban cerca de la pila y conversaban con Tía Elisa. Solté mi brazo, suavemente, de la presión de Tío Baltasar, y me llegué a ellos tratando de parecer natural, mientras que mi tío se acodaba en la urna de su antepasado, como si fuera una consola que le perteneciera como me habían pertenecido a mí durante el oficio las imágenes transparentes de las ventanas. Me situé en tal forma, sonriéndoles a Don Fulvio y a César Angioletti, que a Tía Elisa no le quedó más solución que presentarme, desesperada, supongo, por lo que su hermano le diría después. ¡Qué audacia la mía!, ¡qué pavorosa puede ser la audacia de los tímidos! Hoy mismo —y han transcurrido muchos años cargados de experiencia—, cuando recuerdo mi actitud increíble (cómo lo abandoné a Tío Baltasar, cómo me acerqué, cómo me impuse, cómo le tendí la mano a Berenice), siento un escalofrío.

Salimos al atrio, a la plaza, al sol. Todavía me arriesgué más, en plena euforia de osadía. Adiviné —la intuición alerta de los muchachos, cuando su sensibilidad está en juego, es capaz de ser más sutil que la de los mayores—, adiviné que el punto débil, en la familia de Berenice, era Don Fulvio Serén, el vanidoso, así que fué a él a quien le dije, y no al músico ni a su esposa:

—Antes de que empezara la misa, estuve escuchando el piano de ustedes desde la plaza. Era Chopin, ¿no es cierto?, ¡qué bien!, ¡qué bien tocado!

Pero mi atrevimiento había alcanzado al límite. Enrojecí. Me aflojé. Hubiera deseado estar a muchas leguas, en el río, pescando pejerreyes con Simón. De modo que fué entre sueños, como si la voz del carrocero resonara a la distancia, que oí su respuesta, una respuesta casi reverenciosa, provocada acaso por un resto del resplandor que seguía envolviéndome, que me enorgullecía y que los santos de cristal y los trofeos de la urna y el busto de la plaza habían dejado caer sobre mí como un manto más lujoso que el de San Nicolás, recordándole al viejo comerciante, proveedor de mi bisabuelo, quién era yo, quiénes éramos nosotros, los de "Los Miradores" (*"unos príncipes"*, hubiera dicho Tío Baltasar), de modo que continué siéndole horriblemente infiel a la memoria de mi padre, el prestidigitador, el escandaloso, a quien tanto quería sin embargo y que entonces de nada me servía, antes bien me incomodaba; y eso —esa traición— me atribula cuando evoco la mañana en que conocí a Berenice.

—Sí... —contestó Don Fulvio, ufano— era de Chopin... lo tocaba mi yerno... Tiene que venir a oírlo alguna tarde... un gran pianista... ¡je! ¡je!

Alguna tarde... alguna tarde... No me animaba a mirarla a Berenice... Apenas incliné la cabeza y mascullé un vago agradecimiento, mientras Tía Elisa, espantada por lo que estaba haciendo y que era de leso Tío Baltasar, explicaba nerviosamente cuánto me gustaba la música a mí, "la buena música", y que era una lástima que no hubiera estudiado.

Lo que yo ansiaba en ese instante (aunque, por otro lado, una fuerza tenaz me clavaba a la sombra del grupo) era huir, así que me di vuelta ligeramente y detrás, en el atrio, divisé a Tío Baltasar que se calzaba los guantes, despreciativo, y a Simón que iniciaba el solitario regreso hacia "Los Miradores".

En "Los Miradores", como era previsible, Tío Baltasar me hizo una escena: ¿quién me mandaba meterme con esas personas?, ¿qué podían importarme?, ¿no bastaba con Elisa? Pero no sé si el episodio bochornoso del invernáculo —había transcurrido un tiempo y su organizador estaba en condiciones de juzgarlo, con alguna turbación, por descarado y seguro de sí mismo que fuera— les restó eficacia a sus desplantes, o si la incorporación de Berenice a mi vida me insufló un vigor nuevo: lo cierto es que por primera vez —y eso también es un indicio del profundo cambio que dentro de mí se operaba— no lo temí, no me dominó, y me senté tranquilamente a leer a Racine, entre los filodendros del invernáculo, después de almorzar.

Desde entonces dirigí todas las tácticas de mi astucia, afilándome en la hipocresía y en la invención, a volver a encontrarme con Berenice, a ir a su casa, a mezclarme con su existencia. Vigilante e impávido como un piel roja, dejé que los días transcurrieran con ese afán por norte. Nada en mi apariencia exterior se había modificado, y sin embargo yo era otro. El muchacho ingenuo, el soñador, se había mudado, en el curso de pocas horas, en un calculador taimado. Pero no... el soñador no se había perdido... antes bien se aguzó en mí la capacidad de soñar, y en todo momento soñé con Berenice, viví para Berenice, así que aunque mis días recuperaron su ritmo monótono y fué como si me hubiera reembarcado en el gran navío fatal de "Los Miraflores" que bogaba lentamente hacia Europa, Berenice, ajena a la abigarrada tripulación, no se apartó de mí ni un instante. Su imagen continuó junto a mí en el invernáculo, mientras leía la descripción de la Biblioteca Nacional de París que me había pasado Tío Baltasar. Me siguió a través del Gabinete de Estampas, del de Medallas, del de Manuscritos, entre las monedas del Renacimiento, los sellos de Creta y de la Argólida, los grabados de Rembrandt, los camafeos, los volúmenes encuadernados por Grolier y los que ostentaban en la tapa las armas de Catalina de Médicis. La vi aparecer, ligera, graciosa —no con su vestido gris sino con la ropilla de paje—, en medio de las vitrinas llenas de tanagras, de cetros, de alhajas, de marfiles, de libros miniados, y su rostro se reflejó en los cristales, rodeado por los objetos, como una joya más, como una máscara dorada y leve. Fué mi compañera cuando reanudé mi viaje inmóvil en la casa vibrante cuyo capitán traducía a Victor Hugo y, de tanto en tanto, me preguntaba por mis lecturas.

Con Simón casi no estuve. Basilio había intensificado su rigor desde la desgraciada noche de la pesca, de modo que no pude acercarme a mi amigo. Por otra parte —lo he dicho ya— no lo necesitaba, no lo necesitaba como antes para *vivir*, pues mi vida brotaba de otra fuente; lo hubiera necesitado para volcar en él lo que ahogaba mi corazón y que por momentos amenazaba con desbaratar el artificial aplomo del falso piel roja, obligándome a reír o a llorar como un demente —como un enamorado—, ante la estupefacción iracunda de Tío Baltasar.

¡Qué días raros, aquéllos! Tío Baltasar caminaba por el invernáculo, declamando el poema del Sultán Mourad de "La Légende des Siècles":

"Mourad, le haut calife et l'altier padischah...",

y yo leía el catálogo del Gabinete de Estampas. Estábamos solos en la luz verde, submarina, que convertía en algas a los filodendros y a las estatuas en madréporas. Pero, sin que él lo supiera, la sombra titubeante de Berenice se interponía entre nosotros y corría, rozando las podridas persianas que movía la brisa de la tarde. Quizá los filodendros la veían también, como yo, con sus centenares de ojos, y los personajes de la fuente, y América y la reina que alzaba una cortada cabeza de caballo, y el machucado Victor Hugo de David d'Angers... Únicamente Tío Baltasar no la veía allí, no se percataba de que su presencia había colmado la disparatada habitación que rebosaba de ella como un inmenso cántaro. Ni rastros habían quedado de la otra, de la mujer desnuda que asistía a la misa de once, la mujer a quien mi tío no mencionó nunca. Acaso alguna vez... alguna vez... su recuerdo regresó a la fuente, a las figuras de estaño; y su cuerpo melodioso (esa me parece la palabra adecuada: melodioso) centró mi atención y mi angustia entre las plantas viejas, pero pronto, muy pronto, el paje bailarín saltaba en el tinglado de Tío Baltasar, en medio de las lapiceras, de los tomos de la Édition Nationale de Hugo y de los diccionarios, y arrojaba a la intrusa. ¡Qué días raros! Yo siempre en acecho, siempre en acecho, esperando, y Tío Baltasar despreocupado, gesticulante, retórico, dueño una vez más —él lo suponía así— de la situación.

Una mañana me dijo:

—¡Qué bien estamos aquí, Miguel, los dos solos!

Y no estábamos bien. Y no estábamos solos. Me tocó la cara con su larga mano suave, la mano del anillo de oro con el escudo de la torre en llamas.

Yo esperaba sin saber qué esperaba en verdad, pero seguro de que algo sucedería. Y entretanto escribía sin reposo, de noche, en mi dormitorio. Escribía versos y versos para Berenice, y aunque hoy comprendo que aquella producción torrencial poco valía, mi expresión se iba adelgazando y purificando. ¡Cómo habían quedado de lejos, relegados en el desván de los objetos inútiles, "El clavicordio de la abuela" y "El abanico"! Ahora lo que yo escribía, bueno o malo, rico o pobre —eso es lo que interesa menos—, tenía una fuerza vital, directa, que por momentos me suspendía como si dentro de mí cantara el eco de los amplios alejandrinos racinianos. Pero lo que yo desparramaba sobre el papel no eran ni alejandrinos, ni endecasílabos, ni romances. Eran versos sin metro ni rima, despeinados, que corrían de página en página persiguiéndola a Berenice en las carillas tumultuosas, como mi imaginación la perseguía, volandera, entre las "garras de león" y las esculturas y la gruta del invernáculo. Y en realidad yo no sabía nada de ella. La había visto dos veces. Apenas le había hablado.

Hasta que lo que tenía que pasar ineludiblemente, lo presentido, pasó. Y fué un nuevo golpe del destino que espiaba detrás de mí, por encima de mí, por encima del piel roja escudriñante, del destino pronto para divertir su aburrimiento con temerarias combinaciones, pronto a construir y a destruir, porque el destino es el mejor dramaturgo y el comediante mejor y nunca descansa, y cuando la escena comienza a estabilizarse, a aletargarse en el estatismo —y cuando el que aspira a la calma, la noble calma o la calma estúpida, cree que por fin ha alcanzado el ansiado sopor y que ha vencido al destino o que por lo menos ha conseguido que el destino lo olvide—, el destino da un golpe más y cambia velozmente la decoración, como un artista apurado, para que el acto próximo empiece.

Esta vez su jugada consistió en que Tío Baltasar recibió una carta de un abogado de Buenos Aires, quien le proponía la reconquista de nuestros célebres campos de Pergamino. Esos campos misteriosos, elusivos, quizá reales, heredados de mi abuelo y extraviados en su testamentaría como si no hubieran existido jamás, reaparecían de vez en cuando en las conversaciones quejosas. Ninguno de mis tíos hubiera podido ubicarlos. Se hurtaban a su búsqueda, en los viejos planos del partido desplegados sobre la mesa del comedor:

—Esta es la parte de Tía Clara... esta es la parte de Tía Duma... esta es la parte de Tía Ema... esta es la parte de Merceditas... debe ser por aquí... o no, por aquí... pero tampoco, porque aquí está la parte de Tío Nicolás.

Pertenecían a la familia hacía muchísimos años, desde la época de los alcaldes de la Santa Hermandad... y en algún sitio se escondían... de modo que yo, de tanto oír hablar de "el Pergamino" desde mi niñez, había terminado por humanizar a esa propiedad inhallable, y la imaginaba como un duende burlón que iba a los brincos, con su bonete, con su bonete de pergamino como es natural, sobre todos los demás campos de la zona, donde pastaban los importantes vacunos de Tía Clara, donde se balanceaban los importantes cereales de Tía Duma, ocultándose a veces detrás de un monte de plátanos o detrás de un rectángulo de hectáreas sembradas de maíz, para surgir de nuevo, como un espejismo enloquecedor, en la lejanía de las estancias. Y ahora este oscuro abogado, este Dr. Washington Villar, previsible ave negra, reabría el antiguo proceso, la antigua herida jamás cicatrizada, anunciando que los campos estaban ahí definitivamente, en un lugar determinado, que no eran un sueño, una bruma en cuya vaguedad se desdibujaba el temblor de los cardos y de las mieses y de los solitarios ombúes, una bruma soñada trasluciente que flotaba sobre los otros campos de la familia, los sólidos, los auténticos, los documentados, y que el viento impulsaba, en Pergamino, de un lado al otro, haciéndola pasar, por la altura del aire, de las propiedades de Tía Ema a las de Tía Clara, si no algo efectivo, indubitable, algo que era posible rescatar y vender para hacerse ricos, aunque, por supuesto, se chocaría con dificultades a causa de los pobladores.

Mis tíos se entusiasmaron. La conversación cotidiana del comedor cambió de ritmo. En lugar de las discusiones acerca del pequeño restaurante de la rue de Berri; acerca de si la estatua de Luis XIII de la Place des Vosges es del siglo XVII o del XIX; acerca de si fué en el Palazzo Davanzati, en Florencia, donde había ese guía tan inteligente que comentaba al Donatello... y en lugar del incurable traer de tomos del Grand Larousse a la mesa, para apilarlos y hojearlos afiebradamente junto a las ensaladas, empujando las copas y los cubiertos, la conversación se arremolinó sin cesar en torno del campo de Pergamino; y los amarillos planos de esa zona, relegados hacía tiempo en el escritorio, recobraron su inquietante preponderancia, como mapas de tesoros escondidos, por encima de los atlas europeos. Con excepción de mí, que callaba y pensaba en Berenice, masticando las modestas cocciones de Úrsula a las que siempre les faltaba sal, todos intervinieron en las disputas álgidas, en las que salió a relucir hasta la odiada valija-caja de hierro de Tío Baltasar. Todos intervinieron. Ni siquiera se esquivó Tío Fermín, que con ser casi octogenario y medio lele y vivir en un mundo de indecisión al que alumbraban de repente, como llamaradas, sus extrañas predicciones, descendió de sus nieblas sibilinas para murmurar que él creía recordar que alguna vez... hace mil años... su cuñado (mi abuelo)... le había dicho que el campo, al cual entonces no se le atribuía ningún valor porque lo que importaba eran las casas de la calle Florida, estaba... ¿dónde estaba?... hacia el norte... hacia el sur... cerca del de Clara... o no... en el límite del de Tío Nicolás... o no... tampoco...

Lo cierto —y ese fué el golpe del destino— es que Tío Baltasar debió ausentarse a Buenos Aires durante diez días, dejándome en libertad. Si bien me fijó un plan exhaustivo de estudios —que comprendía entre otros puntos la comentada lectura de la "Chanson de Roland" y la de la guía histórica del Palacio de Hampton-Court— fué como si la casa-navío hubiera detenido su viaje. El hecho mismo de que en el comedor no se hablara más que de "el Pergamino", con lo cual la atención general varió de meta, contribuyó a serenarme, a normalizarme, descartando por unos días la pesadilla de esa existencia que consistía, anulando el presente, en prepararse para un improbable futuro.

Entonces yo pude consagrarme plenamente a Berenice. Rondé su casa hasta que topé con Don Fulvio, haciéndome el distraído, y el carrocero, encantado, me introdujo en ella.

Esa primera semana de mi amistad, de mi amor por Berenice, fué algo maravilloso. En la casa de la lira, otro universo surgió ante mis ojos asombrados. Fué allí donde le oí a Don Fulvio esta frase admirable:

—Lo mejor de los viajes es el regreso. Por suerte, al partir, sabemos que la tierra es redonda y que si seguimos siempre adelante, siempre adelante, volveremos a casa;

en una palabra: que al partir ya estamos volviendo. Sería terrible que la tierra se transformase en plana de repente. Estaría delante de nosotros como un desierto que se alejara, infinito, hacia el horror, y nadie se atrevería a salir de su casa. Ese fué el espanto de la Edad Media. Ahora no; ahora, felizmente, viajar es regresar, y todavía mejor es no viajar para no darse el trabajo de estar volviendo.

Yo lo escuchaba ávidamente, en la larga sala de música. Don Fulvio leía, mientras su yerno tocaba el piano. Sin duda habían llegado hasta el ex fabricante (porque era imposible que nadie las ignorara en el pueblo) las noticias de la maniática fruición viajera de mis tíos, y como él representaba la posición exactamente contraria, compartida por César Angioletti, dejaba caer frases como ésa, cuando conducía la charla con habilidad hacia el tema candente.

Luego sonreía, intensificaba la expresión, en una pausa del piano, me rozaba la rodilla con los dedos, y decía:

—Es el "faeton" de Nicanor Martínez, que después lo vendió al Turco Assad. Lo hice hace treinta y cinco años.

Yo oía el trote alegre de la yunta en el empedrado, más allá de los postigos, y un soplo de la vida antigua —los coches estrepitosos, las libreas, el "dogcart" de "Los Miradores", el landó de ocho elásticos de Tío Nicolás, Inglaterra y Toulouse-Lautrec— corría sobre nosotros, liviano, hasta que Chopin reconquistaba el aire de la habitación.

Matilde Serén bordaba en un bastidor, silenciosa, con una actitud de dama de corte, de dama de honor de la Emperatriz Eugenia. El cura, el director del periódico, algún viejo italiano y el carrocero, formaban el diminuto auditorio, sentados frente a la tarima que sustentaba el piano y que limitaban los cortinajes. Berenice, en un rincón, fingía leer y de tanto en tanto me miraba. Cuando había tenido que asistir a un ensayo de "Romeo y Julieta", conservaba su jubón de paje rojo durante una hora o más, porque sentía que me gustaba verla así. A veces conseguíamos hablarnos a solas un momento. Nos comprendíamos sin hablarnos. La sala estaba densa de mensajes mudos que circulaban entre las victorias y los "sulkies", y Chopin ondulaba y se desesperaba encima de nosotros, conjurado por el músico de largo pelo cuyas manos inverosímilmente hermosas volaban sobre las teclas, estableciendo sin saberlo una atmósfera propicia para nuestra telegrafía.

En esa época desarrollé una curiosa política, que me incorporó la apariencia de un personaje diametralmente opuesto a lo que en realidad soy. No hay que olvidar que mi padre, Wladimir Ryski, por sobre todas las cosas, fué un extraordinario actor, un hombre imaginativo que vivió para inventar e interpretar papeles, y que algo he heredado de él. Y no hay que olvidar tampoco, para entender mi actitud, que desde la infancia yo me había movido dentro de la órbita de Tío Baltasar, el fanfarrón lírico, inventor y simulador también, a su modo. Esas influencias hondas, la de la sangre y la del medio, obraron sobre mí poderosamente, cuando quedé sólo y debí valerme de mis propios recursos para ganar el mundo de Berenice.

Me había dado cuenta de que lo que todavía lo impulsaba a Don Fulvio en la vida con su motor (y quizá por eso leía tanto) era el afán de progreso mundano, de superación social, una especie de snobismo explicable en quien había comenzado fabricando coches con sus manos de obrero inteligente, para terminar de padre de una mujer bellísima, de suegro de un artista extranjero y de abuelo de una muchacha raramente encantadora. Don Fulvio advertía tal vez que lo que faltaba para completar la posición que había levantado pieza a pieza, y en que la fortuna armonizaba con la comodidad y la belleza con la música, con el arte, era ese elemento vetusto, heráldico, tan lleno de fascinación para quienes no lo poseen, que procede de las posiciones anteriores, tradicionales, ricas de alusiones históricas y frívolas, más afincadas a pesar de su simulada ligereza, de su despreocupación elegante, y por eso más definitivamente seguras. Es decir que Don Fulvio, aunque tenía tanto más que ellos (y por lo pronto una "verdad"), ambicionaba lo poco que mis tíos tenían —o que él creía que tenían—: las relaciones, los parentescos, el brillo de "Los Miradores", del busto del abuelo, de la urna del general, de los "vitraux" de los santos patronos, la posibilidad de una vida que la carencia de dinero (y él pensaba que era eso solamente, olvidando lo terrible que es la pérdida de los "contactos", aun para los mejor emparentados, como sucedía en el caso nuestro), que la carencia de dinero, repito, acaso hubiera alejado o postergado, sin debilitar jamás su latente esencia que triunfaba sobre las eventualidades efímeras. El apellido que llevaban mis tíos —el de mi madre, el de Tía Clara, el de Tía Duma, el de Tío Sebastián— vibraba (y vibra) en la República como una campana de oro. Y esa campana tañía delicadamente en los oídos de Don Fulvio.

Yo lo entendí de inmediato, con la lucidez precoz que había alimentado la dialéctica de mi tío. Tal vez yo también oí su lujoso repique en la sala de música provinciana, mezclado con el "Vals del Adiós" y la mazurka y la "berceuse" y la polonesa, que volcaban sobre nosotros su carga sonora, cuando Don Fulvio aprovechaba las pausas para hacerme preguntas sobre la familia de mi madre. Le relampagueaban los ojos.

Como Tío Baltasar y Tía Gertrudis habían efectuado varios viajes a Buenos Aires, por asuntos de dinero, para visitar a Tía Ema o para sacudir su aburrimiento, y en ciertas ocasiones yo los había acompañado, toda una parte de nuestra vida, la parte fugaz que se había desarrollado fuera del pueblo durante esas ausencias, escapaba a la fiscalización de Don Fulvio, así que yo, acicateado como dije por la sangre de actor que Wladimir Ryski había puesto en mis venas, y por lo mucho que había aprendido junto a la soberbia de Tío Baltasar, me lancé a fantasear a mi vez, suponiendo que a través de Don Fulvio, de su hija y de Angioletti, extasiados con mis narraciones, la cautivaría a Berenice. Urdí para mí, pues, una vida mentirosa, que tenía por marcos sucesivos la sala de baile de Tía Duma, el comedor de Tía Clara, las famosas caballerizas de Tío Nicolás —sitios que jamás había conocido, pero cuya descripción podía reproducir fácilmente, merced a los relatos de mis tíos— y, llegando así a una identificación plena con Tío Baltasar y Tía Gertrudis (cuyas adulteraciones ostentosas, sin embargo, tanto detestaba), hablé de "Los Miradores" con una holgada naturalidad, como si gozáramos de la totalidad infranqueable de sus alas y sus pisos, casi como si fuéramos los dueños únicos de esa envidiada residencia, y me dejé deslizar por la pendiente mientras la bola de nieve de la mentira se engrosaba más y más, envolviéndome, aprisionándome. A veces —en el curso de esos días jubilosos— me paraba en mi carrera, un poco asustado, pero el cura, el caduco periodista, el carrocero y la dama que bordaba me rogaban que continuara adelante, y yo, rotas las trabas de mi timidez y arrastrado por la euforia de sentirme exaltado al primer plano, rodeado, admirado y quizá provocador de nostálgicas codicias, seguía sin sujetarme, acumulando anécdotas, forjando recuerdos, improvisando, improvisando... Yo ya no era yo, Miguel Ryski, el hijo del prestidigitador polaco, el muchacho solo, el amigo de Simón, el pescador de pejerreyes, el lector de Racine en el invernáculo: era una proyección de Tío Baltasar y de Tía Gertrudis, de las ambiciones latentes de Tío Baltasar y de Tía Gertrudis, y aunque por momentos me arrepentía y quería detenerme o dar marcha atrás, ya era tarde, ya era tarde y debía proseguir, cuidando de no equivocarme y contradecirme (o contradiciéndome y complicando las explicaciones), haciendo sonar el nombre de oro, el nombre glorioso de la torre en llamas, como un cascabel, como un crótalo que acompasaba la danza aparatosa bailada en honor de una niña inmóvil que me atendía desde su rincón, muy abiertos los ojos verdes, vestida para la fiesta de los Capuletos, en Verona. Era, en cierto modo, el desquite de mi pequeñez, de mi insignificancia, pero debía resultar insufrible para cualquiera que no hubiera sido ese auditorio benévolo, hambriento de ilusiones suntuosas. Todos teníamos que desquitarnos en "Los Miradores". Yo también. O no... no es esa la palabra... todos los que en "Los Miradores" morábamos éramos sus víctimas en alguna ocasión... las víctimas de lo que "Los Miradores" representaban y exigían. Yo también... yo también... Y aunque en esos momentos no se me escapaba que estaba aprovechándose de la casa enorme y enemiga, que estaba usufructuándola falazmente, ya que no podía habitarla, la verdad es que, como siempre (como sobre mis tíos) la casa se imponía sobre mí, me dominaba, me hacía suyo, me obligaba a pronunciar palabras que parecían dictadas por un extraño y que desfiguraban mi auténtica personalidad.

Encauzado en ese orden de ideas, se me ocurrió que la casa sería un poderoso aliado —si conseguía "domesticarla" y burlarla y hacer que secundara mis designios— para mi conquista de Berenice. Yo pensaba que Berenice jamás podría quererme a mí, por mí mismo —como yo la quería a ella—, pues a pesar del elaborado orgullo, ¡tan apócrifo!, que encendía mis narraciones, no me sentía capaz de atraer a un ser tan excepcional. Por eso utilicé cuanto hallé a mano —el nombre, la casa, la familia, Victor Hugo, mis versos— hinchándolo, remontándolo como un pomposo balón de colores. No me percataba de que nada de eso era necesario, de que Berenice comenzaba a amarme ya —y, si hubiera tenido unos años más de experiencia, lo hubiera deducido rotundamente hasta de sus silencios, hasta de su gesto distante en ciertas ocasiones—, pues calculaba que la atmósfera cordial que entre nosotros se había establecido, aun sin hablarnos, no procedía de la comunidad de los sentimientos sino de la solidaridad, de la complicidad propia de dos adolescentes, de una generación, en medio de personas mayores. Y sin embargo —lo supe después— Berenice me quería ya. Pero yo no osaba imaginarlo; ni siquiera una vez me pasó por la cabeza la idea de que el paje rojo pudiera quererme. Así que, extremando la táctica que juzgaba erróneamente legítima y recordando que sólo faltaban cuatro días —según su último y hermético telegrama— para el regreso de Tío Baltasar, resolví combinar el modo de llevar a Berenice a "Los Miradores", a ocultas de mis parientes, conjeturando que el lujo y la extravagancia de la quinta contribuirían a inclinarla hacia mí.

Claro que no se trataba de conducirla al ala nuestra. En nuestra ala sólo había dos cosas, me parecía, capaces de conmoverla: la Mesa del Emperador y el equipaje de Tío Fermín, y eso, con ser mucho, no bastaba para convencer definitivamente a nadie.

La Mesa del Emperador fué lo único que se salvó de los majestuosos mobiliarios de mi abuelo. Mi niñez y mis años de muchacho giraron alrededor de ella, como giraban mis tíos. Era grande, redonda, dorada, magnífica, ilustre. Se decía que había pertenecido a Napoleón Bonaparte. Ni Tía Duma ni Tía Clara la habían olvidado. Era un sol y nosotros sus planetas. Mis tíos se arrimaban a ella, después de almorzar, como quien se aproxima a un enorme brasero en busca de calor, y algo de la tibieza y del resplandor de los tiempos idos, algo de la época de París y de Roma ascendía hasta ellos, calentándoles las venas, desde la mesa labrada como un trono que decoraban las miniaturas. En el centro estaba Napoleón, coronado de laureles, y en torno se distribuían entre abejas y águilas las ovaladas efigies de sus mariscales. Tía Elisa me había enseñado cuando yo era muy chico, como una oración, como otro Padrenuestro, los nombres de los veinte mariscales. Todavía hoy puedo repetirlos. Podré repetirlos siempre. Cantaban, estruendosos, musicales, como dianas, como "fanfarres" polifónicas, en la imaginación de mi victorhuguesco Tío Baltasar: Berthier, príncipe de Wagram; Murat, rey de Nápoles; Augereau, duque de

Castiglione; Bernadotte, rey de Suecia; Masséna, príncipe de Essling; Soult, duque de Dalmacia; Lannes, duque de Montebello; Mortier, duque de Trevisa; Ney, príncipe de la Moskowa; Davoult, príncipe de Eckmülh; Bessières, duque de Istria; Kellermann, duque de Valmy; Lefebvre, duque de Dantzig; Victor, duque de Bellune; Macdonald, duque de Tarento; Oudinot, duque de Reggio; Marmont, duque de Ragusa; Suchet, duque de Albufera; de Moncey, duque de Conegliano; y el príncipe José Poniatowski, sobrino del rey de Polonia. Toda Europa estaba ahí, como en un catálogo bélico, toda Europa clarinaba, marcial, en los nombres sin cesar repetidos: Berthier, príncipe de Wagram... Murat, rey de Nápoles... Ahora mismo, mientras los escribo recitándolos como versos —pues los decíamos así, como si compusieran un poema misterioso— y dos de ellos, los únicos sobrevivientes (el duque de Dalmacia y el príncipe de la Moskowa) me contemplan en mi pieza de hotel, siento que aquella mesa imperial, solo resto de un inmenso naufragio, reconfortó a mis tíos en su pobreza mejor que ningún alivio, porque creyeron que con ella poseían un tesoro incomparable, un tesoro más rico que todos los muebles de Tía Ema, algo maravilloso, digno de un museo, digno de su padre, digno de ellos mismos, como el escudo de la torre en llamas, como Mora y Zeppo, sus caballos, como los "collies" de "pedigree" de Tía Gertrudis, lo único digno de ellos que permanecía en la quinta, algo capaz, según sospechaban, de excitar la codicia herrumbrosa de Tía Clara y de Tía Duma, quienes, sin embargo, no carecían de nada y se hastiaban novelescamente en sus salas abarrotadas de muebles, de cuadros, de estatuas y de adornos.

Y el equipaje de Tío Fermín —con ser muy diverso, por cierto, de la imponente Mesa del Emperador— era la segunda y última curiosidad grandiosa que existía en nuestra parte de "Los Miradores". Estaba en exhibición permanente —hubiera sido difícil ubicarlo en otro sitio— en la ancha galería del primer piso y lo integraban cuatro fabulosos baúles negros, tres maletas y tres amplias cajas forradas de cuero azul que ostentaban sus iniciales en rojo: F. de N.

Desde que Tío Fermín fué a vivir a "Los Miradores" —hacía más de dos décadas— no había cesado de prepararse para el viaje a Europa. Su escaso entendimiento recogió sólo esa idea: la de que algún día partirían allende el mar a la tierra de los castillos y las catedrales, y serían felices, porque Tía Elisa, su adorada, no tendría que trabajar, y Tío Baltasar y Tía Gertrudis estarían contentos y lo llevarían a los restaurantes y al teatro. Así que destinó parte de su medida renta, mes a mes, con un orden que asombra, a alistarse. Los baúles eran incomparablemente hermosos. Mes a mes, se habían llenado. Una vez era un traje; otra, unas camisas. Y así sucesivamente. Fué menester adquirir más baúles; encargar las maletas y las cajas, pues la ropa continuaba fluyendo, como un río de género, desde Buenos Aires. Y esa ropa no se usaba. No se usó nunca. Se usaría en Europa, algún día, en los restaurantes, en los teatros, en los hoteles, en los casinos. Para allí eran las "robes-de-chambre", las camisas de seda, el abrigo de piel de nutrias, los sacos de fumar, el frac intacto. Y Tío Fermín seguía entretanto con su viejísimo traje verdoso, sin que a ninguno se le ocurriera —tan singulares eran mis tíos— poner en circulación el caudal virgen, y sin que éste tentara siquiera a Tío Baltasar, a pesar de sus ínfulas de dandismo y de la semejanza de su figura con la de Tío Fermín. No. El equipaje rumboso, el equipaje completísimo, debía aguardar allí, en la galería, incólume, enriquecido constantemente a costa de Dios sabe qué sacrificios, porque en cualquier momento podía sonar el gong de la partida, y entonces las grúas izarían hasta el vientre del barco los baúles de Tío Fermín, el otro tesoro, tan aristocrático como la Mesa del Emperador por todo lo que representaba de refinamiento, de sentido seguro del buen vivir. Y la felicidad de Tío Fermín —que era tan anciano, tan bondadoso, tan afectuoso, tan encantador y fino, y también tan indiscutiblemente distinguido y hombre de gran raza, largo, flaco y huesudo como un modelo del Greco o de Boldini— consistía en sentarse en el corredor entre sus baúles, con su ropa vieja, remendada, y en contemplar su equipaje, soñando. ¿En qué soñaba?, ¿qué extrañas, inconcebibles ideas iluminaban su pobre cerebro? Tío Fermín no podía concentrarse mucho tiempo en nada. Era como un niño. La obsesión sin par que lo mantenía alerta, era la de su equipaje. Y a veces salía de su ensimismamiento para decir unas pocas palabras inconexas, como una sibila, anunciando algo, algo que casi siempre sucedía —y que sólo en una ocasión que me tocó muy de cerca fué grave y trascendente, pues en general se trataba de hechos mínimos—, para recaer en su sonriente mutismo hidalgo y volver a acariciar con sus nobles manos las cerraduras de los baúles.

Yo hubiera podido mostrarle a Berenice —si hubiera actuado de buena fe— la Mesa del Emperador y el equipaje de Tío Fermín, verdaderos símbolos de lo que Tío

Baltasar pretendía que todos nosotros fuéramos; pero para ello hubiera sido menester introducirla en nuestra ala de "Los Miradores" —corriendo el riesgo de que Tía Gertrudis y Tía Elisa la vieran, exigieran explicaciones y quizá me delataran ante su hermano—, y confiarle el secreto que le había ocultado hasta entonces: que nosotros vivíamos en la quinta por caridad de Tía Ema, como don Giácomo vivía en la cochera por caridad de Tía Elisa; que nuestros cuartos estaban casi vacíos y apenas encerraban unos muebles adocenados, simples (muy inferiores a los que decoraban la casa de Angioletti), en medio de los cuales la Mesa del Emperador relumbraba como eso, como un emperador vestido de oro entre sus vasallos miserables, y las cajas de Tío Fermín ponían una nota de extranjera suntuosidad, de alusión a hoteles cosmopolitas que nada tenían que ver con la modestia circundante, hecha de sillones que habían pertenecido a escritorios oficinescos, clausurados un cuarto de siglo atrás, de melancólicas perchas y de sofás de felpa equívoca. En cambio si lograba que me siguiera hasta la otra parte de la casa, la de Tía Ema, la prohibida, la que tenía a Basilio y a Nicolasa por rigurosos cancerberos, estaba seguro de que allí todo la impresionaría en mi favor, pues en las alas de Don Damián, cuya leyenda enorgullecía al pueblo por él fundado, abundaban y sobraban los elementos majestuosos y raros que cooperarían a darme valor a mí, a darle valor a mi insignificancia y a hacer que me amara si creía que ese era el cotidiano ambiente dentro del cual se desarrollaba mi vida de muchacho gran señor, de pequeño lord de "Los Miradores'". Pero para ello —pues me propuse ciegamente conseguirlo— debía obtener no sólo que Berenice accediera sino también que Simón me ayudara... y Simón, ya lo dije, mi amigo Simón, mi buen Simón, había cambiado (o, por ser más sincero, yo había cambiado) y cuando nos cruzábamos en el patio de la quinta apenas hablábamos y se limitaba a mirarme con recelo.

Una tarde, cuando iba a lo de Berenice, advertí que Simón caminaba detrás de mí, disimulándose entre los árboles. Estuve tentado de volver sobre mis pasos, de abrazarlo, de invitarlo a que me acompañara, pero el disfraz de altanería que yo llevaba desde que entré en la casa del carrocero —y que me quedaba tan mal— me obligó a seguir adelante, erguido, sin torcer la cabeza, no sé si fastidiado o pesaroso, tal vez con un ambiguo remordimiento, latiéndome el corazón. Para darme ánimos en mi injusta empresa, silbaba, mientras observaba con el rabillo del ojo a mi desdeñado compañero que corría de árbol en árbol, en la sombra, como un ladrón, como un bandido, como un animalito ágil que acecha y no se atreve a saltar.

V

Frente a mi dormitorio pero en la planta baja, al otro lado del patio, había un cuarto redondo, sin destino, prácticamente imposible de amueblar —y típico de la concepción arquitectónica de Don Damián— en el que Simón hacía sus deberes, leía y tocaba la guitarra. Allá fuí a la mañana siguiente, antes de que despertaran mis tíos. Sabía que Simón estaba en él desde temprano porque a través del patio las notas de su guitarra, a veces aisladas perezosamente, a veces trenzadas en largo rasguido, ascendían hasta mi habitación con melancólico mensaje. Me acerqué a la reja y susurré su nombre. Nada se distinguía detrás de las celosías venecianas, en el interior oscuro. Sólo las cuerdas que continuaban llamando, llamándome quizá con sus tristes voces misteriosas, delataban la presencia de alguien en esa penumbra que apenas aclaraban los toques pálidos de los libros abiertos sobre la mesa.

—¡Simón! ¡Simón!

Callaron las cuerdas y Simón entreabrió la celosía. La mancha amarilla, casi dorada, de su pelo, se encendió en la negrura, como si fuera la materialización del hondo perfume de magnolias que invadía todo. Era muy flaco. La cara filosa se le ponía por momentos curiosamente asiática, tártara, cuando lo que en ella predominaba eran las aristas de los pómulos.

—¡Simón! ¡Simón!

¡Qué difícil resultaba hablarle, explicarle, pedirle! Y sin embargo siempre me había comunicado con él sencillamente, sin esfuerzo.

Me miraba en silencio, detrás de los listones de madera verde, y las sombras le rayaban el rostro distinto, desfigurado.

—¡Simón, tenés que ayudarme!

Me escuchó durante un buen espacio sin decir palabra. Recuerdo que había conservado la guitarra entre las manos, y que en alguna ocasión, mientras yo, precipitado, anheloso, devanaba el relato de mi amor naciente, feliz de poder transmitirlo por fin, sus largos dedos tiraron de las cuerdas tensas cuyo sonido duro fué su único comentario. Mi historia no lo sorprendía. La oía sin que su cara cambiara de expresión. Nada le insinué, por cierto, de cuando lo había visto seguirme ocultándose entre los árboles. Eso quedaría para otra vez acaso... o acaso para nunca... porque no son cosas de las que se debe hablar... son cosas (para mí lo eran) secretas, inexplicables... cosas de las cuales cada uno —y sólo uno mismo— es el dueño... Él permanecía en su penumbra enrejada, como en un confesonario, y yo me confesaba a medias, apurándome:

—¡Tenés que ayudarme, Simón! Berenice es una maravilla. Ya la conocerás.

Y él no contestaba.

—Ahora... quiero traerla aquí...

—¿Aquí?

—Sí. Aquí, a "Los Miradores".

—¿Para qué?

Su pregunta seca me desconcertó. Estaba tan metido dentro de mi personaje convencional, que me parecía imposible no traerla, no "revelarle" la casa memorable en la que toda la gente del pueblo ansiaba entrar.

—Para... para que vea la casa... esta parte de la casa...

—¿Esta parte?

—Sí... la parte de Tía Ema...

(Y no había parte de la casa que no fuera de Tía Ema. Desde la distancia mitológica de Buenos Aires, desde su "bergère" Luis XVI, Tía Ema colmaba la casa, ubicua, como una inmensa diosa invisible a quien le bastaba con alzar los impertinentes de oro, en el Olimpo de su salón lejano, para que la casa se estremeciera como un animal herido, para que se derrumbara la torre del tanque de agua, para que murieran las campanillas azules y la marquesina cayera en añicos.)

Hubo un silencio.

—Pero sabés que está prohibido...

Me irritó su observación. ¿No era yo el sobrino nieto de Tía Ema? (Y por debajo de mi irritación reptaba, como un ofidio que va entre las hojas, el resentimiento de Tío Baltasar. Yo estaba idéntico a Tío Baltasar: tanto que confusamente lo sentí y me aturdí y me asusté y suavicé el tono.)

—Por eso te pido tu ayuda, Simón. Vos podés ayudarme. Es cuestión de que abrás la puerta...

—¿De noche?

—No... más bien de tarde... a la tardecita... La casa es tan grande que una vez adentro Basilio no se dará cuenta...

—Lo que no entiendo todavía es para qué necesitás que venga aquí.

—¡Simón, Simón!, ¿ya no sos más mi amigo? Si te lo pido, por algo es. Quiero mostrarle la casa. Ella —y ahí mentí—... ella quiere verla...

—Está bien. Avisáme cuando te decidás. Si Papá nos encontrara...

Deslicé mi mano entre los listoncillos y rocé su cara, al azar. Él retrocedió, como ofendido.

—Dejá... dejá...

Me alejé. La guitarra volvió a ensayar su queja en el cuarto a oscuras.

¡Qué rara es la gente! —pensaba yo—. ¿Será lógico que marchemos por el mundo sin saber nada de nadie, sin entender? Ni siquiera a Simón, a mi querido Simón, lo entiendo. ¿Se habrá enojado porque me enamoré de buenas a primeras, sin consultarlo? ¿Tengo que consultarlo para enamorarme? ¿La amistad es algo tan fuerte, tan posesivo, que aspira a ejercer su dominio hasta sobre el amor, hasta dentro de los mismos muros del amor? La amistad... mi amistad con Simón, a causa de nuestra soledad y nuestro desamparo entre gentes mayores, inalcanzables, tenía rasgos especialísimos... tan singulares como el propio carácter de mi amigo, que por instantes se me escapaba, se me escurría. Aun en los momentos de mayor intimidad (por ejemplo cuando nos encerrábamos en la cochera a fumar, aprovechando la ausencia de Don Giácomo, o cuando pescábamos pejerreyes, surubíes, armados, bagres y bogas, en la balanceada serenidad del río, y hablábamos sobre el porvenir, sobre cuando nos fuéramos juntos de "Los Miradores", lejos) yo sentía que algo suyo, muy hondo, incógnito y reservado, se hurtaba a mi posibilidad de comprender, pero como siempre, desde chico, me han fascinado esas zonas herméticas en las que los seres atesoran sus últimos secretos, tristes o hermosos, y las he admirado y respetado, no se me ocurrió nunca dar un paso más y tratar de penetrar en ellas.

Y además era tanta mi alegría al advertir que mi plan se iba cumpliendo, que Simón volvió a retroceder a la sombra en la que lo había relegado desde que vi a Berenice, porque sólo Berenice, la luminosa Berenice, podía ocupar mi atención enamorada.

Esa misma tarde, en los minutos durante los cuales estuvimos solos en la sala de música, le revelé a Berenice mi proyecto. Lo hice sin insistir mucho, como si se tratara de algo simple, cotidiano, pero temblaba, temblaba ante la perspectiva de que ella no quisiera. Me parecía que esa visita era algo imprescindible para afirmar mi amor, para dar vida al suyo.

—Mañana —me contestó— tenemos ensayo en el colegio, a las siete de la tarde. Tal vez podría salirme... Pero no... tengo miedo... es una idea tan rara... ¿qué va a pensar tu familia?

—Mi familia no estará. No hay nadie. Tío Baltasar sigue en Buenos Aires. A Tía Elisa y a Tío Fermín los dejarás en el colegio. Tía Gertrudis sale a caballo y después se mete en su cuarto y lee. Nadie la ve.

—¿Y no hay nadie más?

—Nadie más... los mucamos... pero no importa... la casa es muy grande... no te verán...

Entonces ella formuló la pregunta de Simón:

—¿Para qué querés que vaya?

—Para.. para mostrarte la casa... la casa... es magnífica... y enorme... y diferente de las demás, como un museo... En el pueblo todos quieren verla... no ha ido nadie...

—Bueno... iré... a las siete y media trataré de estar allí... No sé cómo podré cambiarme el traje de "Romeo y Julieta"...

Yo no cabía dentro de mí mismo:

—Llevá cualquier cosa... un guardapolvo, un delantal... y te lo ponés encima de la ropa... Te esperaré en el portón de la quinta, al lado del ombú, el portón del costado, sobre la calle de la refinería.

Me arriesgué a tocarle las manos, acariciándoselas un segundo, pero en seguida llegó su abuelo, quien me saludó entre solemne y familiar, meneando la cabeza como el mandarín chino del reloj de la quinta, y se puso a hacerme preguntas sobre Tía Duma, sobre Tía Clara, sobre los bailes de la calle Florida, y yo volví a hundirme en mi mundo de invención prestidigitadora, en mis "Mil y una noches" con orquestas y baldes de champagne, para crear las cuales —en beneficio de la curiosidad del carrocero, quien se perfilaba cada vez más como una mezcla de observaciones agudas y de increíble inocencia— debía recurrir a mis recuerdos de las viejas revistas ilustradas que había en "Los Miradores", "El Americano", "El Correo de Ultramar" (no tenía idea de otras fiestas mundanas), llenas de grabados del año 1870 y pico, de modo que las imágenes que yo desenroscaba ante el ávido Don Fulvio... no sé... las diademas... los abanicos de plumas..., pertenecían a una época infinitamente anterior a mi nacimiento y tenían un tono totalmente diverso al que debió corresponder a los bailes por mí fraguados, de ser éstos verdaderos, pero, en cambio, ajustaban con exactitud su pompa trascendental a lo que el anciano aspiraba que fueran, o sea a las grandes fiestas del siglo XIX que él conocía también por "El Correo de Ultramar", o por alguna de esas otras revistas arcaicas cuyas maltratadas colecciones incompletas se enquistaban en las casas antiguas del pueblo desde los tiempos de su fundador.

Nunca he pasado un día tan inquieto como el siguiente. Le avisé a Simón las perspectivas y me prometió que a las siete y media en punto estaría en el corredor, junto a la entrada del billar. Basilio y Nicolasa andaban raramente por allí. Había que esperar que nos secundara la suerte. ¡Qué nervios, Dios mío! ¿Y si a Basilio se le ocurría, precisamente esa tarde, salir a la galería posterior semiabandonada? ¿Y si Tía Gertrudis me retenía a último momento? ¿Y si no acudiera Berenice?... ¿y si no acudiera Berenice?... Fuí y vine del invernadero a mi habitación, como un espectro.

—¿Qué le pasa, Niño Miguel? —me interrogó Úrsula.

—Nada... nada...

Ensayé una y diez y cincuenta veces, hablando a solas, lo que le diría en aquellas grandes salas vacías, sonoras, para conquistarla.

—Santa Gertrudis de Nivelle, socórreme... San Félix de Cantalicio... San Baltasar... mis santos...

Y más de una vez me arrepentí. Más de una vez me sobrecogió el espanto de la aventura. ¡Cuánto más tranquilo y acaso más sabio hubiera sido ir a escuchar los nocturnos de Chopin en la casa de la lira, cerca de mi adorada, cerca del viejo que reconocía los coches por el rumor de los ejes! Pero ya era imposible retroceder. El destino había jugado. Y yo caminaba del invernáculo a mi dormitorio, de Victor Hugo al soberbio retrato de mi padre, y trataba de leer a Racine:

Hélas! et qu'ai-je fait que de vous trop aimer?

¿Qué había hecho yo, en verdad, como decían los versos inmortales, como Tito a Berenice, como Berenice a Tito, fuera de amar demasiado... y tanto que cualquier peligro resultaba poco con tal de verla sonreír, de verla alisarse el pelo, de escuchar su voz, de sentir el leve peso de su mano sobre la mía? ¡Qué caprichoso, qué peregrino es el amor!, ¡cómo nos cambia!, ¡a qué absurdas actitudes nos obliga!, ¡qué cruel, puesto que nos hace avanzar entre ruinas, indiferentes, seguros e intangibles como ángeles, apartando todo lo que no le concierne, así sea algo tan enraizado como mi amistad por Simón!, ¡y qué dulce también, puesto que, suavemente, torna a lo absurdo maleable y lo adapta a la realidad, y nos lo impone, ordenando una lógica nueva!

Berenice y Simón fueron puntuales. Ella llevaba, sobre el jubón escarlata de paje, un guardapolvo manchado, escolar, que se entreabría y dejaba ver, encima de su pecho menudo ceñido por el género rojo, una cadena dorada, gruesa, una cadena de muchacho palatino del Renacimiento, de muchacho delgado de Sandro Botticelli. Simón la saludó apenas en la incierta claridad de la galería. Yo apresuré la presentación. Aunque me esforzaba para que todo pareciera natural, la nerviosidad me dominaba. ¿Cómo iba a creer ella que esa era mi casa si hablábamos a los cuchicheos, si no encendíamos ninguna luz, si nos apurábamos como si alguien nos persiguiera? Quizás atribuyera nuestra sospechosa actitud al único afán caballeresco de hacerla pasar inadvertida dentro de la casa... y no al otro... al de evitar que nos sorprendieran a los tres en terreno vedado... no sólo a ella sino también a Simón y a mí...

Entramos en el billar, y Simón retrocedió hacia la galería de los macetones, dejándonos.

Debo aclarar que la parte de "Los Miradores" en la cual nos hallábamos se encontraba bastante lejos de las habitaciones ocupadas por Nicolasa y Basilio, y que era relativamente seguro calcular que ellos no aparecerían por allí. Supongo que habremos permanecido en la casa unos tres cuartos de hora. Berenice no se cansó de mirar y de asombrarse. Por todo preguntaba, en voz baja, apoyándose un poco en mí y escapando en seguida hacia otro mueble estrafalario, hacia otro objeto. Vivimos ese tiempo dentro de un mundo irreal. Yo mismo no había estado allí anteriormente más que en tres ocasiones, en el curso de muchos años, porque las órdenes de Tía Ema eran rotundas y Basilio velaba con celo irónico para que se cumplieran, de modo que fué como si descubriéramos juntos el pequeño universo que mi bisabuelo, dios de las "boiseries" y de los sofás, había creado y encerrado en su quinta, aunque yo debí fingir que lo conocía bien e inventar incesantes explicaciones. Fuimos del billar Imperio, sofocado por las cortinas púrpuras, en el que los tacos montaban guardia como alabarderos, a la sala de armas, llena de panoplias, y de ahí al vasto comedor cuya chimenea detallé, repitiendo las palabras de Tío Baltasar y recordando las razones por las cuales Don Damián enlazó en su campana los escudos de Ana de Austria, de Richelieu, de Buenos Aires y el suyo propio. Y luego seguimos a la galería de cuadros, al salón de baile, cuyas ventanas habían sido tapiadas por disposición de Tía Ema, para ocultar la refinería, y al "fumoir árabe" —al que otros llamaban "la salita china", según sus preferencias exótico-geográficas, porque el Cercano y el Extremo Oriente se disputaban sus metros cuadrados en desigual guerra de infieles, oponiendo los alfanjes a los "blancs de Chine"—, en cuyo estrecho reducto no faltaban, sobre las meses de nácar, ni los narguilés, ni las largas pipas de opio, ni las bordadas babuchas, ni los imprevistos "bibelots" mezclados en un abarrotamiento de bazar: el reloj del mandarín que balanceaba la cabeza como Don Fulvio, las sedas de las paredes, desde las cuales los pajarracos multicolores nos espiaban, la lámpara suspendida del techo y en la que cuatro serpientes inmovilizaban su cólera.

Yo llevaba a Berenice de la mano y de vez en vez, ante una estatua, ante un biombo, ante un retrato, acentuaba mi presión. Estábamos dentro de la casa, dentro del monstruo que era la casa, como Hansel y Gretel en el bosque tenebroso, o más bien parecía que la casa nos hubiera devorado, que nos hubiera tragado, como el cetáceo bíblico al profeta menor, y que errábamos por el seno de cavidades misteriosas, apenas iluminadas por la vaga luz que se filtraba entre las cortinas, porque era tal el capricho de los corredores, de las diferencias de nivel, de los techos altos y bajos, que "Los Miradores" no hacía pensar en una casa construída para seres humanos sino en una formación prodigiosa, en una extravagancia de la naturaleza. La casa estaba así alrededor de nosotros, que éramos los prisioneros de su mágica fascinación. Fuera del leve rumor de nuestras pisadas en los "parquets" crujientes, y de nuestras voces, nada se oía. Se oía, sí, la honda respiración de la casa, que vibraba encima de nosotros, debajo de nosotros, a la redonda, débilmente, cuando la refinería invisible le comunicaba su temblor. E íbamos de un cuarto al otro, temerosos y maravillados, sintiendo rotar en torno nuestro los muebles enormes que de repente surgían de la sombra, con ojos de bronce, con dientes de marfil, con pelucas labradas; asustándonos de nosotros mismos, de nuestras dos frágiles siluetas tomadas de la mano, que se proyectaban en el "film" borroso de los grandes espejos; y como yo le hablaba quedamente de las fiestas que habían tenido lugar allí en tiempo de Don Damián, de las mujeres espléndidas, de los prohombres, de todos los muertos que habían reído en esas salas mudas, sentíamos también que a las presencias acechantes de los objetos se incorporaban otras presencias, más sutiles e impalpables, que huían delante de nosotros de aposento en aposento, entre las corazas y los yelmos y las picas de la sala de armas, entre las sillas tapizadas de terciopelo de Génova del comedor, hacia adelante, hacia adelante, en una palpitación de vestidos blancos, de chales transparentes, en un revuelo de mangas negras y de colas de frac. Yo procuraba, por cierto, sosegar mi emoción, nacida de lo que la casa proteiforme, tentacular, tenía de hermético, de ininteligible; nacida de la evidencia de que la personalidad de la casa era mucho más honda y trascendente que la mía; y del sentimiento de mis mentiras acumuladas cuya ficción se mantenía con dificultad, porque —si bien le dije a Berenice que en esa parte de la casa rara vez entrábamos, pues era fría y poco confortable— me extraviaba en el itinerario, me metía en corredores sin salida debiendo desandar el camino y, a pesar de mis dudosas justificaciones, acumulaba las pruebas de mi desconocimiento. Y esa emoción nacía también del miedo con que había invadido el terreno vedado, y de la alegría de que Berenice estuviera junto a mí, encantada, hipnotizada, amándome quizás en los salones espectaculares de Don Damián, amándome gracias a ellos.

¡Berenice! ¡Berenice estaba ahí, sola conmigo, en el interior más recóndito de la casa, y yo no acertaba a decirle nada, nada que no fuera enumerar objetos, reiterar anécdotas, forjar detalles!

En el "fumoir árabe" de tapiadas aberturas no me quedó más remedio que encender la luz eléctrica. Vi a mi amiga, rodeada de los pajarracos bordados en las sedas, estirados en los biombos, y la pequeña sombra se transformó en un ser vivo cuya imagen, hasta entonces esfumada, me hizo latir el corazón. Nunca la había visto tan hermosa. Debajo del guardapolvo abierto, el cuerpo del paje-niña de los Capuletos se arqueaba, fino. Su mano se aferró a la mía.

—¡Berenice! —murmuré—. ¡Berenice!

Y en el silencio se escuchó la respiración de la casa.

—¡Berenice!

Ella me sonrió, con esa sonrisa que comenzaba siendo casi triste y que la iluminaba poco a poco.

En ese momento entró Basilio. Se plantó delante de nosotros, con su carota de carcelero de "Los Miradores". Los ojos le fosforescían.

—¿Qué están haciendo aquí? —gritó, violento, como si el servidor hubiera sido yo y no él—. ¿No sabe que está prohibido venir a esta parte de la casa, que la señora Ema lo ha prohibido? Espere a que se entere...

Yo no atiné a reaccionar. ¡Era, en verdad, tan chico! Y además me había anonadado la sorpresa. Súbitamente, precipitado de las nubes, de unas nubes barrocas, recamadas como cortinajes, llenas de borlas, cenefas y flecos, me enfrentaba con la realidad.

—¡Vamos, vamos, salgan de aquí! ¡Aquí no se puede entrar! ¿Qué se han imaginado? ¡Me quejaré a la señora!

Traté, bastante tarde y bastante inútilmente, de salvar la situación insalvable. Berenice nos contemplaba absorta, separada de nosotros, como si nada tuviera que ver con la escena que de repente había roto el encanto. Mascullé unas palabras sin sentido, enfrentándome con el mucamo rabioso. Me cegaba la indignación, pero, lo mismo que días atrás en el invernáculo, comprendía que era vano luchar. Me hubiera tumbado a llorar en uno de esos sillones espantosos, recubiertos de telas del Asia Menor, que ahora odiaba. Y Berenice, que había desprendido su mano de la mía, me la volvió a tomar, como si ella fuera Gretel y yo fuera Hansel, y dijo sencillamente, con una voz calma, segura:

—Vámonos.

Atravesamos los salones hacia el billar, hacia la puerta. Detrás, Basilio apagaba las luces, tal vez verificaba si no nos habíamos llevado algo, y gritaba, amenazador:

—¡Qué desvergüenza!, metiéndose aquí... aquí... sin permiso... ¡Ya cuidaré yo de que no vuelva a suceder!

Salimos al parque. Me ahogaban la desesperación, el bochorno. Me habían echado de "Los Miradores", de mi casa, de la casa construída por mi bisabuelo, como si fuera un intruso, un ladrón. El mucamo de Tía Ema me había echado, echado... delante de Berenice... y a Berenice también... a Berenice que era como una reina... ¡Ah, cuánto la aborrecí a Tía Ema en ese instante, a su lujo, a su egoísmo, a su poder! ¡Qué rencor sentí contra Basilio, el indigno, el execrable, y contra la casa, como si la casa tuviera la culpa y me hubiera tendido una celada en el interior dorado de sus aposentos! Y a mí mismo, ¡cómo me desprecié, cómo hubiera ansiado desdoblarme para abofetearme, para escupirme; con qué saña me vi, imbécil, mudo, despedido, arrojado, arrojado del Paraíso de las cosas, al que mi injuriada vanidad abominaba ahora injustamente, porque en vez de la felicidad orgullosa que esperé hallar en él, en ese Jardín de las Hespérides en que las arañas de cristal brillaban como frutos de oro, en esos Campos Elíseos de las consolas, de los espejos, de los relojes, de las "bergères", de los fantasmas memorables, había topado allí con la trampa de la humillación horrenda! Lloraba en silencio, consternado, lloraba mientras caminábamos entre los talas y las palmeras, hacia el portón. Las lágrimas me descendían por los pómulos, ardientes, y me mojaban la boca. Entonces Berenice se detuvo. La luna flotaba sobre nosotros, en el secreto de los árboles. Casi no podíamos vernos. Se detuvo y, acercándose, pegándose contra mí, tanto que por primera vez sentí la blandura y la firmeza de ese cuerpo joven, nuevo, tenso en la tirantez del jubón escarlata, me besó en las mejillas, me besó las lágrimas. Yo quise desasirme porque mi angustia era tal que podía más que todo, pero Berenice me detuvo y volvió a besarme, a besarme. Y alrededor, en lugar de la casa enemiga, en lugar del endriago deforme erizado de vértebras puntiagudas, de entreveradas cornisas, de picaportes sanguinarios, de "vitraux" que relampagueaban como ojos crueles, fluía la dulce noche lunar, melodiosa, en la que comenzaba a insinuarse el olor del otoño y un pájaro cantaba delgadamente, como si ese fuera su último canto y pronto debiera morir.

—No importa —me dijo Berenice—, no es nada... no es nada... (Y a través de su voz oí la de Simón, cuando trepábamos hacia el invernáculo con los pejerreyes, y él me tranquilizaba también, con su mano en la mía, asegurándome que no era nada... que no era nada...)

Como si yo fuera un chico maltratado —¿y qué otra cosa era, en realidad?—, me consolaba Berenice. Me acariciaba. Y sin embargo, a pesar del abandono de su actitud, había en sus gestos generosos y tiernos algo, un pudor, que descartaba toda idea sensual. Me besó más y más y agregó:

—No importa, Miguel... no importa... yo ya lo sabía...

—¿Qué sabías?

—Esto... que algo así iba a suceder... Y lo prefiero... prefiero que lo que me has contado antes no sea verdad... porque... no es verdad, ¿no es cierto?, lo otro... Buenos Aires... las fiestas... tu vida...

—No... no es verdad... perdonáme...

—No importa... no importa...

—¿Cómo sabías que no era verdad?

—Lo adivinaba.

—Y a pesar de todo, viniste hoy...

—Sí.

—Pero... ¿por qué?

—Porque te quiero.

Lo dijo con una admirable sencillez. Han pasado años desde entonces, he aprendido, he sufrido, he madurado, y en este cuartito de hotel, frente a las miniaturas de los mariscales, se alza su voz intacta, que viene del pasado y de la quinta —"porque te quiero"— y se alza la voz del pájaro que iba a morir.

La besé en la boca, temblando.

—Ahora me iré... me iré... —repitió.

Se soltó de mis brazos torpes y se alejó por la calle de la refinería. En la esquina se volvió para saludarme con largo ademán. Era el paje de los Capuletos, el que bailaba al son del vals de "Romeo y Julieta"; era Berenice, la que hablaba en verso, en alejandrinos, enamorada del emperador augusto, y me amaba.

Entonces una paz cristalina —algo al mismo tiempo muy sedante y muy rico, como si yo me hubiera transformado en un jardín sereno, pero poblado de seres vivos, ocultos, misteriosos, que me estremecían con la agitación de sus vidas imponderables que formaban mi propia vida y mi propia quietud rumorosa— sucedió al desasosiego que me había sofocado desde que conocí a Berenice. Yo era nuevamente yo mismo. Gracias a la degradación, a la vergüenza que Basilio me había impuesto; gracias al bálsamo que sobre mi llaga roja había volcado Berenice, me había reencontrado nuevamente. El otro, caricatura de Tío Baltasar, máscara hueca, ya no existía. ¿Para qué había inventado yo un personaje absurdo, grotesco? ¿Cómo imaginé que lo necesitaba para que Berenice me quisiera? Berenice y yo éramos tan distintos... tan distintos... Yo, aunque la amaba desde el primer instante, requería su disfraz de Capuleto, su voz de Racine, para adornarla, para dilatarla en el tiempo y en el espacio. A ella le bastaba conmigo. ¿Será cierto lo que sospeché entonces, lo que me insinuó mi inteligencia, o sea que Tío Baltasar había conseguido modelarme y torcerme, a lo largo de los años, a fuerza de lecturas, a fuerza de obligarme a que me adaptara a sus sueños, a soñarlos, a pesar de mi innata rebeldía, de mi postura "antiviajera", de suerte que como él, en ciertas supremas ocasiones, podía trocarme en un ser ficticio, literario, libresco, que para sentir con plenitud requería el socorro de esos libros detestados que habían terminado por devorarme, como hubo de devorarme la casa enorme cuando en ella penetré como un malhechor? ¿O será mi timidez, mi pavor de no estar a la altura de las situaciones, de no ser digno de ellas y de su intensidad, lo que entonces buscó refugio en atuendos alusivos que complicaban la noble simplicidad de Berenice, y en ficciones que enriquecían la pobreza de mi vida, para que entonces nada pareciera "verdad", y para que lo que sucedía pasara como en un teatro, en un proscenio, de modo que mi engolada voz de personaje y el disfraz que yo le había impuesto a Berenice me permitieran hacer cosas y decir cosas que de otra manera, normalmente, reducido a mí mismo, no hubiera osado hacer ni decir? ¡Ay, cuánto me había equivocado! Mi falta de experiencia y la segunda naturaleza que Tío Baltasar, al aislarme dentro de sus libros y de mi timidez, me había creado, conspiraron contra mí. La influencia del pasado —atmósfera dentro de la cual nos movíamos en "Los Miradores" como peces de aguas muy profundas y lóbregas, atravesadas, aquí y allá, por rápidas vibraciones fulgentes— era demasiado recia y obraba sobre mí desde la niñez. Tuve que situarla a Berenice en el pasado, en Verona, en el Renacimiento, en Versalles, en Shakespeare, en Racine, para osar comunicarme con ella directamente, porque al pasado lo entendía y, de cierta manera, lo dominaba; y tuve que recubrirme de pasado —y ser casi un contemporáneo de Don Damián y un contertulio de sus próceres y de los bailarines de "El Correo de Ultramar"— para animarme a iniciar su conquista y a "manifestarme" en la casa de Angioletti, porque si yo hubiera seguido siendo lo que era —o lo que yo creía que era, modestamente, puramente, estrictamente— nunca me hubiera decidido a hablar, y mucho menos todavía si ella no hubiera sido nada más que Berenice Angioletti, si la hubiera reducido, como debí, a esa esencia vital —una muchacha—; porque ante ella, ante su realidad viviente, estaba perdido, perdido, y se me escapaba, como todo lo que "vivía" más allá de mi biblioteca, de mis guías, de mis Baedekers, de Shakespeare, de lo que, machacando, machacando, había hecho de mí lo que soy.

Al otro día, de mañana, sin previo aviso, adelantándose sobre lo anunciado, regresó Tío Baltasar. Probablemente ya se había percatado de que las gestiones legales para recobrar "el Pergamino" de nada servirían, y de que el abogado que las emprendiera era un pillastre, pero no se decidía a renunciar en seguida al dinámico entusiasmo que le comunicó esa vertiente inesperada que traía una posibilidad de enriquecerse, así que durante todo el almuerzo no habló más que de hectáreas, de vacunos y de herencias, y el espejismo europeo pareció tan próximo que sus hermanas y su tío, vigorizados por esa droga imprevista, se entregaron jubilosamente, estrepitosamente, a la pasión de imaginar etapas inmediatas.

—Aunque no sea mucho dinero —dijo Tía Elisa—, porque supongo que no se podrá cobrar todo junto, al principio podríamos irnos a vivir a Fiésole, por ejemplo. La vida debe ser muy barata en Fiésole...

—¡Fiésole! ¡Fiésole! —balbució Tío Fermín.

Ya estaban lanzados de nuevo, proyectados en el cosmos de las agencias de turismo, de los trasatlánticos, de los dólares, de los "traveller's cheques", de los hoteles, de las hosterías y de lo que se debe comer en Milán, en Nîmes, en Rotterdam, en Brujas. Las calderas de la casa-navío rebosaban de combustible y volvía a navegar, arrojando humo a bocanadas por las chimeneas.

—¡Fiésole! ¡Fiésole!

(Era la palabra mágica, la orden de zarpar, de hacerse al océano.)

Trajeron la antigua "Guide Treves" de Italia, de los Fratelli Treves (tan anacrónica que en sus últimas páginas se incluían avisos del "Elogio della Vecchiaia" de Paolo Mantegazza y de "Salviamo il Parlamento!" de Francesco Ambrosoli), y mientras revolvían el café y bebían una copa de "chartreuse" para festejar el éxito futuro del abogado, Tía Elisa inició la lectura:

"Questa città, chiammata dei Romani Faesulae, è una

delle più antiche città d'Italia, ed era al tempo degli Etruschi anche una fra le più potenti e ricche..."

Y Fiésole edificó alrededor de nosotros sus torres y sus calles de piedra y se arropó en su manto de cipreses y, allá abajo, surgió Florencia.

Pero Tío Fermín se agitó, impaciente, defraudado:

—Me prometiste que me llevarías a París, Baltasar, a comer a Montmartre, a los Boulevards... no quiero ir a Fiésole...

De repente se puso muy viejito. Sus manos flacas arañaron el mantel. Alzó la aristocrática cabeza de retrato español, la cabeza de golilla, y vimos que tenía los ojos empañados.

—No quiero... no quiero... no quiero aburrirme...

Tía Elisa lo condujo a su cuarto, y los otros continuaron navegando hacia Italia, trepidantes, erguidos como mascarones poéticos delante del navío. Abrieron el "Grand Larousse", porque Tía Gertrudis sostenía que el gran tabernáculo de Mino da Fiésole está en la catedral, mientras que Tío Baltasar lo ubicaba en el convento de San Francisco. Mi tía tenía razón, pero siguieron discutiendo durante horas.

—*El* tabernáculo —acentuaba ferozmente Tío Baltasar—, yo digo *el* ta-ber-ná-cu-lo...

—Está en la catedral. Aquí figura en el Larousse: "*un tabernacle sculpté par Mino da Fiesole*".

—No. No es ése. Ese es otro. Ese es *un* tabernáculo, "*un* tabernacle", yo me refiero a *el* tabernáculo de Mino da Fiésole, que es famosísimo, que es único. Hubieran puesto *el* tabernáculo y no *un* tabernáculo.

Y así, a lo largo de dos horas, de buena fe, de mala fe, barajando nombres (el Arno, Florencia, los Apeninos,

Luca della Robbia, Francesco Ferriucci), haciendo cortas pausas solidarias para recordar "aquel restorantito donde tomamos aquel té tan rico".

—Con dulce de cerezas. Una delicia.

—Y después fuimos a ver el tabernáculo en el convento de los franciscanos, donde hay esa vista tan espléndida.

—No... no... en la catedral.

Y nuestra casa enorme bogaba junto a la destilería. "¡Fiésole! ¡Fiésole!", gorjeaban los pájaros alrededor. Tío Fermín se sentó junto a su equipaje. Palpaba sus trajes sin estrenar, sus camisas vírgenes, sus medias, sus zapatos puestos dentro de las hormas. De tanto en tanto suspiraba.

Por la tarde, Tío Baltasar me mandó llamar al invernadero.

Me habló de pie, en el tinglado de Victor Hugo, como un actor que declama un monólogo.

—Por lo que me ha contado el mucamo, parece que no se te puede dejar solo ni siquiera un par de días, porque vuelves a las andadas. ¡Qué desfachatez! ¿No sabías que está prohibido entrar allí?

—Pero... usted mismo me ha dicho muchas veces que no hay que hacer caso... que la casa es nuestra... que Basilio...

—¡Cállate!, ¡con esa chica, como un estúpido!, ¿qué le ves? Contéstame... ¿qué le ves?... una flacucha que no vale nada... con el pelo descolorido... siempre disfrazada de varón...

—Es el traje de "Romeo y Julieta"...

—¡Cállate!... "Romeo y Julieta"... pavadas de la Docente... ¿y para qué tenías que traerla aquí?, ¿qué representa para ti?... nada... nada... una chica del pueblo... una pobre diabla... Nosotros —infló la voz cuando dijo *nosotros* y me sorprendió que no pronunciara la fórmula ritual: "nosotros somos unos príncipes"—... nosotros somos *distintos*... ¿nunca lo comprenderás?... *distintos*... y nos iremos pronto a Europa... a vivir como la gente... Berenice... pero ¡qué cretino!... la hija de ese cretino que podría estar viajando, dando conciertos en París, viviendo como un rey, y se ha metido en este pantano... Berenice... con ese nombre ridículo que sólo a un papanatas como Serén se le puede ocurrir...

—Es un nombre de Racine...

—¿Y por qué no le puso Ifigenia o Andrómaca? ¡No me contestes! Traerla aquí... aprovechándote de mi ausencia...

Hizo una pausa para marcar el efecto y agregó:

—Tu amigo Simón se lo contó a su padre, a Basilio. Él es quien te ha delatado. Te lo digo para que aprendas de una vez por todas que no hay que darle confianza.

Salí abrumado. Hacía días que por un motivo o por otro las tormentas se descargaban sobre mí: primero fué la escena arbitraria del invernáculo; después la del "fumoir árabe"; y ahora ésta, que me revelaba la deslealtad de Simón. Si no hubiera poseído el amor de Berenice, no sé qué hubiera hecho. Probablemente me hubiera escapado esa misma noche a Buenos Aires... o al campo... a cualquier parte... Pero el amor de Berenice era como una lámpara quieta cuya claridad me envolvía.

Regresé a la casa, y al pasar ante el cuarto de Tía Gertrudis y ver que su puerta, contra la costumbre, estaba entornada, entré.

Tía Gertrudis, tendida en la cama, con los dos "collies" a sus pies, leía una novela francesa de tapas amarillas.

Los perros gruñeron. No les gustaba que los extraños invadieran sus dominios. Tía Gertrudis los tranquilizó. Brillaron sus anteojos redondos. Era alta, de grandes huesos. Parecía un hombre. En un mueble esquinero se alineaba su colección de fustas, entre los grabados de equitación y de cacería.

—¿Qué te sucede?

Me dejé caer en una silla sin aguardar a que me invitara:

—Es Tío Baltasar... no lo entiendo, Tía Gertrudis... creo que nunca lo entenderé.

Ella sonrió y se le aclararon los ojos azules:

—¿Qué le pasa ahora?

—No sé, Tía Gertrudis, no sé...

Volvió a inclinarse sobre su novela y fingió que leía. Uno de los "collies" le lamió una mano. La casa vibraba suavemente. Transcurrió un instante y mi tía cerró el libro:

—Cuéntame qué te ha pasado.

Entonces, a borbotones, le referí las dos escenas del invernáculo y la otra también, la de Basilio. Necesitaba narrárselas a alguien, que me explicaran...

—No entiendo, Tía Gertrudis. Si salgo con Simón, me dice que ando ocultándome... si la traigo a Berenice, se pone furioso... no quiere que ande ni con un muchacho ni con una chica tampoco... con nadie... con nadie... Quisiera que estuviera encerrado en el invernáculo todo el día, leyendo el Baedeker, leyendo a Victor Hugo... y ya no doy más...

Tía Gertrudis recogió las largas piernas y se puso de

pie. Vino hacia mí, seguida por sus perros, que balanceaban las colas majestuosamente, y me deslizó las manos por el pelo, despeinándome.

—Tienes el mismo pelo de tu madre, Miguel... Pobrecito... Baltasar es muy raro... yo también lo soy... Aquí somos raros todos... No hay más remedio que resignarse... Algún día comprenderás... pobrecito...

En el patio me encontré con Simón. Sus ojos me rehuyeron. ¡Yo estaba tan cansado de misterios, de dudas! ¿Por qué me había delatado?, ¿por qué? ¿Tenía celos de mi amor por Berenice? Él también... como Tío Baltasar... ¿quería que no anduviera más que con él, que viviera para él...? Me faltaron las fuerzas para pegarle... Y no hubiera podido pegarle, no hubiera podido pegarle a Simón. Seguí caminando hacia la barranca, y me puse a mirar al río. ¿Por qué no me dejaban en paz?, ¿por qué me acosaban todos?, ¿por qué no me dejaban solo con mi amor, con Berenice? Era lo único que pedía:

Hélas! et qu'ai-je fait que de vous trop aimer?

Nada más. Nada más. Amar demasiado... *trop aimer*... ¿acaso se ama demasiado?

Y en el aire cantó el mismo pájaro de la otra tarde, el pájaro que cantaba en las casuarinas como si fuera a morir. Besé a ese aire; mis labios se estiraron hacia ese aire que no era más que aire; lo besé porque por ahí había pasado Berenice el día anterior, y los demás, todos los demás —hasta los que se creían más vivientes porque se movían en el clima duro de la crueldad, de los celos, de la codicia, del orgullo, de la traición, de las pasiones recias y oscuras— estaban muertos, habían sido embalsamados en sus actitudes violentas o hipócritas, y sólo

Berenice vivía y poseía un corazón cuyos latidos temblaban al unísono con la voz del pájaro oculto.

VI

Volvió a empezar el colegio (ese año me recibí de bachiller), y Berenice se fué a Buenos Aires. En la quinta, la monomanía del viaje absorbió a mis tíos. Tío Baltasar se entregó a Victor Hugo con fruición, como si hubiera profesado en un monasterio; como si los alejandrinos de "Eviradnus" fueran largas galerías de claustro; como si los alejandrinos de "Le petit Roi de Galice" fueran celdas conventuales alineadas interminablemente; como si "L'aigle du casque" fuera una capilla de hierro y de oro; como si toda "La Légende des Siècles" que traducía y traducía sin parar, apurado por concluir de una vez, por rematar la obra, fuera una abadía enorme, y él el único cenobita que moraba allá adentro, con el diccionario de rimas abierto en las manos por misal. Salía de su invernáculo monjil (y los versos pesados, difíciles, fatigosos, zumbaban todavía alrededor, como obstinadas abejas), para galopar con Gertrudis o para sentarse a la mesa del almuerzo, y en la cabalgata y en el comedor le aguardaban, zumbando también, los temas complejos del viaje, que se trenzaban con el vasto tema de Hugo, inseparable de ellos, para constituir, anudados, sinfónicos, una sola y sofocante obsesión.

Si algo definido ha sido mi familia es una familia de obsesos. Conozco el caso de un lejano pariente mío, Gustavo, hijo de un primo segundo de mi madre, que ha consagrado su existencia disparatada a estudiar la obra del poeta Lucio Sansilvestre, autor de "Los Ídolos", y que no piensa en nada más, en nada más, y se ha anulado. Conozco el caso de un primo hermano de mi abuelo, Tío Sebastián, hermano de Tía Duma, que ha dedicado la suya a componer una interminable y laberíntica novela sobre Juana de Arco. Conozco el caso de otras mujeres, también parientas, Leonor y Estefanía, que han pasado lustros y lustros copiando, a lo largo de setenta metros de bordado, el tapiz de Bayeux cuya reproducción exacta puede encontrarse en veinte manuales. Sé de un loco, primo de mi madre, Tío Paco, que no ha vivido más que para coleccionar extraños pisapapeles de vidrio. Y frente a mí tenía en "Los Miradores" el ejemplo de Tío Baltasar, devorador de Victor Hugo, y el de sus hermanas, preparadoras de un viaje imposible. Idólatras, idólatras todos. Me rodeaban, como si fueran uno de esos grandes linajes fatídicos, celosos de los suyos, unos Wittelsbach, con sus ofuscaciones maniáticas. En la época en que me enamoré de Berenice, ya presentí confusamente, a pesar de mis cortos años ingenuos, que esa actitud común ante la realidad del mundo, que vinculaba al novelista de "Jehanne" y al coleccionista de pisapapeles, a las bordadoras de un paño inútil y a los bordadores de un viaje irrealizable, al sacristán de Hugo y al monaguillo de Lucio Sansilvestre, que esa actitud representaba una defensa disimulada contra el horror inconfeso de la propia incapacidad creadora, de la debilidad del espíritu, un afán desesperado por asirse a una tabla de salvación espectacular, garantizada por el tiempo y por el prestigio, por hallar un dios o aunque fuera un semidiós, un ídolo, en medio de su mundo artificial. Se ajustaron sobre los rostros torcidos por el miedo, por el miedo de la nada, unas suntuosas máscaras intelectuales: la máscara de Hugo, la de Sansilvestre, la de Juana de Arco, máscaras poéticas, máscaras históricas, máscaras... máscaras... Entre ellos iba yo —aun entre los que conocía sólo por referencias— con mi amor, con mi amor por Berenice, que era una idolatría también pero distinta, natural, lógica, tratando de librarme. Mi dinastía vanidosa y temerosa, mis Wittelsbach, mis frágiles Otones y Luises de Baviera *("nosotros somos unos príncipes")*, no querían que me librara, que sacudiera el yugo de su destino, no querían que el hijo del prestidigitador, el extranjero, la oveja negra, el morganático, el ilegítimo —porque en su íntimo fuero me habrán considerado como un bastardo—, encontrara una auténtica tabla de salvación y venciera al destino. Y por eso soplaban en mis oídos sin tregua, quizás inconscientemente, quizá sin darse cuenta de lo que hacían, los nombres auxiliadores y maléficos: Victor Hugo, Ruy Blas, Hernani, el Pequeño Rey de Galicia, Eviradnus, la Leyenda de los Siglos, Fiésole, Roma, París, Bretaña, el Hotel des Réservoirs de Versalles, el Hotel Negresco de Niza, el Ritz Hotel, mi bisabuelo, constructor de "Los Miradores", mi tatarabuelo, muerto guerreando contra el río, contra Neptuno, como un héroe de Lepanto o de Trafalgar... para que yo ingresara en el adicto coro, en el coro en el que todos desempeñaban papeles tan personales, tan excéntricos, tan lujosamente raros, y eran sin embargo tan parecidos. Y Berenice fué por eso, al comenzar, la "Bérénice" de Racine y el paje de Shakespeare y acaso nunca consiga eludir esas imágenes. ¡Dios mío! Y me adoraban. Tía Elisa me adoraba. Tío Baltasar también, a su manera terrible. Pero no entendían que yo no necesitara como ellos, en su trágico vacío, una máscara, la máscara de un pretexto para el orgullo, que justificara el orgullo, la máscara que hacía que Tío Baltasar —¡el desventurado Tío Baltasar!— bajara la escalinata de mármol de "Los Miradores" con la mano en la cintura, echada hacia atrás la cabeza arrogante, como si quien en verdad venía hacia nosotros, que lo aguardábamos a la hora del té sentados en las sillas de hierro de la barranca, frente a la detestada refinería de petróleo, fuera Victor Hugo, Monsieur Victor Hugo, el de la Place des Vosges, en lugar del hombrecito del diccionario de rimas y de la gramática francesa y de la maleta arañada vanamente en la que un día no quedó ni un solo peso, ni una sola acción, ni un solo título, ni nada.

¡Cómo la extrañé a Berenice en esos primeros tiempos de separación, hasta que me fuí resignando a su ausencia! Logré enviarle, en el curso de todo el año infinito, sólo tres cartas, y recibí una suya, que su abuelo cómplice me pasó. Por esas líneas supe que seguía queriéndome, que siempre me querría, pero no se atrevió a dirigirme más. En cuanto a mí, si no le mandé más que tres cartas le escribí doscientas, y muchos, muchos versos; le escribí diariamente, en clase o encerrándome en mi cuarto, unas cartas tristísimas que destruía luego. Y entonces empecé a componer los poemas que anunciaron, si se me permite llamarla así, mi "manera" futura, la que señalarían los críticos, y descubrí que si me empeñaba, si trabajaba y trabajaba, podría ser un escritor. Si lo soy ahora se lo debo a Berenice, como le debo el hallazgo misterioso de Racine; se lo debo a ella, a su inspiración, a la angustia de sentirla lejos y tal vez de perderla, y no a Tío Baltasar, como él hubiera proclamado sin duda si viviera todavía, aduciendo que la "cultura" que me impuso en el invernáculo, desde chico, fué el origen de cuanto vino después, de mis libros, del premio, de la sorprendida curiosidad que mi familia de Buenos Aires ha sentido por mí, a través de ciertos periódicos, y que yo no consigo devolverle.

Viví en el aire, suspendido peligrosamente, todo ese año de mis dieciocho. Y la casa-navío, empavesada, humeante, continuó navegando, reiterando las escenas clásicas del comedor en las que mis tíos se reunían en torno de mapas y volúmenes, como si fueran un alto comando de operaciones navales y estuvieran en un almirantazgo, para trazar las rutas y discutir las tácticas.

Yo los oía entre sueños.

—La gente se ha olvidado de lo que es viajar —decía mi tío—. Todo se ha puesto populachero y ha perdido gracia. Nosotros —y se volvía hacia mí—, cuando estábamos en Europa con Papá, viajábamos admirablemente. Pero nadie ha viajado mejor que Tía Duma. Imagínate, Miguel... bueno, ya eres lo suficientemente grande para que se puedan contar estas cosas... y por otra parte Tía Duma y su especialísimo modo de encarar la existencia... que la gente opaca habrá criticado y critica... es demasiado célebre para que lo ignores... imagínate que hubo una época, hace bastantes años, cuando era joven, en que Tía Duma recorrió Italia de un extremo al otro en tres automóviles, tres Renaults inmensos. En el primero iba ella con un actor... un gran actor italiano que le había presentado Gabriele d'Annunzio... y de quien supongo que se habrá enamorado... eso fué hace muchísimo tiempo... mucho antes de que lo conociera al Príncipe Marco-Antonio Brandini, que ha sido el gran amor de su vida... un amor que debemos respetar y comprender... En el otro iban sus sobrinas, que eran entonces unas muchachitas (se portó ejemplarmente con ellas), con una "mademoiselle" francesa y un arqueólogo romano, un hombre importante, un sabio, que Tía Duma había contratado ex profeso para que les explicara los monumentos... los museos... las ruinas... Y en el otro iban su cocinero y su mucama y su equipaje, porque siempre estaba comprando cosas y amontonaba allí vestidos, pieles, cuadros, objetos... todo lo que cabía... Eso es saber viajar...

Yo descendía de mi limbo y, mientras la conversación cambiaba de curso, desentendida de Tía Duma, para enfrascarse en una querella alrededor de los trovadores medievales o de Alejandro Borgia o de si Stendhal captó o no a la sociedad elegante de su siglo, mis ojos seguían sobre el desplegado mapa de Italia, como si fueran tres negras hormigas que avanzaban penosamente de Milán hacia Venecia, con su carga multicolor, por los caminitos rojos, deteniéndose en Cremona, en Mantua, en Verona y en Padua, a los tres automóviles microscópicos de Tía Duma, en el primero de los cuales la prima de mi abuelo reía y apretaba las manos del actor hermoso, enguantadas de gris, en tanto que, como en las aguafuertes de Juan Bautista Piranesi, a su vera desfilaban los acueductos, los templos, las quebradas columnas musgosas, los arcos de triunfo y las fuentes, que ellos no miraban pues se miraban el uno al otro, y que en el segundo Renault el arqueólogo les detallaba a sus sobrinas, bostezantes, incitándolas para que sacaran fotografías.

Yo escapaba después del almuerzo, dos o tres veces por semana, y me reunía con Simón. Tío Baltasar había aflojado los nudos. Quizá habría comprendido que su vigilancia era inútil, que yo terminaría por huir, como mi madre, si insistía en atenacearme, y quizá también la idea —que carecía de asidero— de que el viaje estaba próximo, lo había distraído de mí. La verdad —que yo no adiviné— es que no se distrajo nunca. Se resignó a que me fuera, aguardando el momento en que partiríamos para Europa y en que nadie se interpondría entre nosotros.

Reanudé mis tardes de pesca con Simón, pero nuestro vínculo ya no fué el mismo de antes. Jamás le dije que sabía que me había delatado. Preferí no pensar más en eso. Tal vez, desde su punto de vista, se pudiera justificar su actitud. Yo lo había abandonado sin brindarle explicación alguna, y después de todo él no tenía a nadie más que a mí, así como yo no tenía a nadie más que a él. Pero ahora yo la tenía a Berenice, a la imagen de Berenice, que me acompañaba, invisible, cuando íbamos a pescar pejerreyes y bogas, aprovechando los días tibios de comienzos de otoño. Casi no hablábamos. Sobre nosotros pesaba lo que había sucedido y que era imposible comentar. Y sin embargo yo lo quería a Simón, nos queríamos siempre. Me daba una profunda lástima, porque lo sentía, aun junto a mí, muy solo, con su guitarra. Hubiera deseado abrazarlo, cuando nuestro bote se deslizaba lentamente bajo los sauces, y el fresco del crepúsculo nos obligaba a regresar a "Los Miradores", abrazarlo y despeinar su lacio pelo rubio y tranquilizarlo y asegurarle que no había pasado nada... que no había pasado nada... pero eso era imposible...

En casa, la situación corría, veloz, hacia una crisis. Tío Fermín se impacientaba. No había forma de hacerlo callar. Gritaba de repente que lo habían robado, que en sus baúles faltaba el traje de smoking que se había hecho cortar para comer en "Maxim's" y en "Prunier", y cuando se lo mostraban exclamaba que no era ése, que lo que le habían substraído era el frac. O si no aparecía de mañana, con las pupilas de vidente dilatadas, declaraba con voz sepulcral que nunca partiríamos de "Los Miradores", y se echaba a llorar como un niño, hasta que se le descomponía la cara huesuda, torciéndose y acentuando sus rasgos de personaje de "El entierro del Conde de Orgaz". Y Tía Gertrudis se metía en su dormitorio, rabiosa, con sus perros, y permanecía allí cuatro o cinco días, quejándose del corazón. En cuanto a Tía Elisa, se afanaba del uno al otro, como una enfermera, y en el colegio, en mitad de una lección olvidaba los nombres de las batallas de Hernán Cortés y no acertaba con la solución de los teoremas más sencillos.

Las espaciadas noticias de "el Pergamino" resultaban realmente desalentadoras. Era ingenuo pretender engañarse. El espejismo se esfumaba de nuevo. La casa navegaba a oscuras. Alguna vez el abogado escribió haciendo espejear una esperanza, pero mis tíos advirtieron pronto que transcurrirían años antes de que "el Pergamino" (siempre que "el Pergamino" existiera y fuera nuestro) se pudiese vender.

Una noche, mientras comíamos pasándonos la sal para contrarrestar lo soso de las amalgamas de Úrsula, Tío Baltasar golpeó con su mano de madera sobre el plato y anunció solemnemente:

—Estoy resuelto. Creo que, puesto que falta tanto para terminar mi trabajo y puesto que lo del Pergamino no se decide, no nos queda más remedio que vender la Mesa del Emperador e irnos a Europa de una vez por todas.

—¿La Mesa del Emperador? —interrogaron simultáneamente Tía Elisa y Tía Gertrudis—. ¿La venderías?

—Sí, me parece lo mejor, lo lógico. Es una pieza estupenda, de museo. No sé qué valdrá con exactitud, pero vale mucho. La venderemos y nos iremos a Europa. ¿Qué nos conviene más: permanecer aquí vegetando, a la espera de que el Dr. Washington Villar, en quien mi confianza disminuye mes a mes, ubique definitivamente los títulos, establezca nuestra posesión, pague los impuestos atrasados —que deben ser enormes—, pague una coima que tampoco será chica para obtener el desalojo de los inevitables pobladores, y dentro de diez años ofrezca en subasta esos campos de miércoles... o deshacernos ahora mismo de la Mesa del Emperador, que evidentemente queremos mucho porque es lo único que hemos conservado de papá, pero que estaría más en su sitio en un museo —en La Malmaison, en Compiègne, en Fontainebleau, puesto que perteneció a Napoleón y sus miniaturas son de primer orden— e irnos a Europa dos meses después? No creo, por cierto, que con el producto podamos instalarnos allí la vida entera, pero una vez en París... o en Fiésole... ya veremos... en un año yo terminaría, en un ambiente propicio, la traducción de "La Légende des Siècles"... buscaría un editor... y seguramente, junto con la versión de "Les Châtiments", "Odes et Ballades", "Les Orientales", "Les Feuilles d'Automne" y "Les Chants du Crépuscule", ya concluídas... redondearíamos una importante suma, a medida que se sucedieran las ediciones...

Tía Gertrudis, Tía Elisa y Tío Fermín hablaron a un tiempo. De nuevo, la fe descabellada los sacudía con su loca tensión.

—Pero... la mesa de Papá...

—No es la mesa de Papá, es la Mesa del Emperador... una maravilla... que todos deben ver... en un museo...

—Yo preferiría guardarla...

—Si se te ocurre otra solución...

—¿Y el colegio?, ¿cómo voy a hacer con el colegio para irme?

—Ya estás casi en condiciones de solicitar parte de tu jubilación... o si no, te quedas...

—No. ¡Yo voy, yo voy, no me dejen!

Se levantaron y rodearon al mueble famoso. Antes, en oportunidades remotas, se había planteado la posibilidad de desprenderse de él, pero como algo fantástico, como si el Gobierno de Su Majestad anunciara, por ejemplo, el propósito de rematar la corona de Inglaterra, la cual tiene —¿cómo iba a ignorarlo yo?— 3.200 perlas y diamantes. Ahora no. Ahora la crisis era tan aguda, tan peligrosa, que se imponía resolverla de inmediato, aun a costa de la Mesa del Emperador, porque era inaguantable la vida así.

Yo los observaba fascinado. Giraban en torno de la circunferencia dorada, de las águilas, de las esfinges, de las miniaturas, desde las cuales Napoleón y sus veinte mariscales los contemplaban, rutilantes de condecoraciones, bellos como quetzales, como colibríes, como aves del paraíso. La mesa era el escudo de mis tíos, su rodela, su pavés; un escudo evidentemente más suyo que el de la torre en llamas; el escudo que su padre les había legado, como símbolo de su espléndida vida pasada, como alegoría permanente de lo que habían sido, de lo que eran, de cuál debía ser la norma fundamental de su conducta. Su rueda fulgente los había protegido a lo largo de la pobreza, de la decadencia, del desprestigio no confesado.

Había sido paralelamente un arma protectora, un arma ofensiva y un arma de lujo: una alcancía maravillosa y un documento indiscutible que se mostraba a los visitantes, con falsa naturalidad, para "ubicarse", para que los visitantes poco informados los "situaran" en seguida: "Es la mesa de Papá... la mesa que fué de Napoleón Bonaparte... ¡Pobre Papá!... toda su casa era así... los cuadros de Bouguereau... el Ziem... los juegos de Sèvres... Cuando estuvimos en Viena..." Y ahora, como un guerrero cansado de luchar, dejaban caer a sus pies el escudo homérico, retumbante. Lo vi caer de manos de Tío Baltasar, de la mano pura y de la manita de madera que apenas conseguía sostenerlo, y oí su golpe sonoro contra las losas del piso, mientras Héctor, Príamo, Helena, Hécabe y Casandra se cubrían los rostros en el "hall" de la quinta.

—Sí —dijo Tía Gertrudis—, la venderemos.

—¡Fiésole no! —rogó Tío Fermín.

Y para celebrar el acontecimiento, cuyo éxito descontaban, cada uno de nosotros bebió una gran copa de sidra a falta de champagne.

Tío Baltasar puso manos a la obra sin pérdida de tiempo. Como paso inicial, antes de ofrecer el mueble único a la Dirección de los Museos Nacionales de Francia, era menester asesorarse sobre su valor. De todos sus parientes, aquel con quien mantenía una intensa relación epistolar debida a la comunidad de los gustos, era Tío Sebastián, el autor de la inconclusa "Jehanne". Le envió, pues, una nutrida carta en la que le planteaba su proyecto y le pedía que le sugiriera la forma de obtener una opinión responsable acerca del precio que convenía solicitar. La respuesta no tardó. Tío Sebastián se acordaba perfectamente de la Mesa del Emperador. *"¡Qué suerte que la tengan todavía!* —expresaba—. *Era la joya de la colección de tu padre, un tesoro. La veo como si fuera hoy en el vestíbulo redondo del departamento de la rue Raynouard. No hace mucho, con mi hermana Duma, hablamos de ella, preguntándonos qué suerte habría corrido en medio de tantos vaivenes. Duma es muy amiga de un gran anticuario francés, Monsieur Moïse de Levinson, experto notable además de hombre rico, nieto de anticuarios de primera fila. Él está ahora aquí casualmente y creo que Duma planea llevarlo pronto a la estancia, con Marco-Antonio Brandini, de modo que no me parece imposible que al regreso se detengan en "Los Miradores" a ver la mesa. Una opinión suya puede considerarse como algo definitivo y como la mejor recomendación para el gobierno de su país."* Poco después, una segunda carta de Tío Sebastián trajo la noticia de que Duma estaba encantada con la idea de pasar por "Los Miradores", que no veía desde muy muchacha, con el príncipe Brandini y Monsieur de Levinson. Y daba la fecha exacta de esa visita, la cual tendría lugar una semana después.

Esa semana transcurrió en preparativos importante, ya que al interés que derivaba de presentar el mueble imperial ante un experto que sabría apreciarlo se agregó el que procedería de la presencia de Tía Duma, personaje casi mítico, penacho de la familia a pesar de su existencia irregular. Cuando Basilio fué informado de que la Señora Duma vendría a "Los Miradores" (Tía Gertrudis lo hizo lánguidamente, como si se presentara allí a cada rato), perdió pie pues no ignoraba su trascendencia fundamental —la había servido muchas veces en las comidas de Tía Ema— y dedujo que, íntimamente vinculada a su ama, le comunicaría a su vuelta cómo había encontrado "Los Miradores". Tío Baltasar sacó provecho de esa flaqueza, de esa primera fisura insinuada en la coraza del padre de Simón, y, atropellando, lo persuadió de que cuando la visita se produjera debía dejarle mostrar a él la *totalidad* de la casa, pues era lo que correspondía.

Fueron días de inquietud y de higiene en las dos alas del quintón. En nuestra parte, la mesa, trasladada al centro del "hall" y pulida con celo, brillaba como una custodia de oro hacia cuyo fulgor convergían, como en un templo, el ritmo entero de la arquitectura y de la decoración y el movimiento de los fieles, como si todo —ventanas, puertas, cuadros, cortinas, libros y personas— se hubiera distribuído en "Los Miradores" en función de ese sagrario central, más glorioso que el discutido tabernáculo de Mino da Fiésole.

Tía Elisa preparó un té "sublime" (así lo calificó, entre burlón y admirado, Tío Baltasar, que esa tarde, a causa de su vanidad nerviosa, estuvo más "Victor Hugo" que nunca), pues la llegada de los viajeros se anunció para esa hora. Aparecieron mucho después, cerca de las ocho, en el Packard azul cuyos faros, al iluminar el invernadero en la tristeza de la noche otoñal, subrayaron la melancolía de su abandono dramatizado por los ladridos de los "collies". Esperándolos, no habíamos osado tocar las tortas de chocolate y de dulce de leche, y habíamos bebido en el antecomedor, casi de pie, un té contrito. Hacía bastante frío; la chimenea de la sala tiraba mal y, no bien soplaba el viento, el cuarto se llenaba de humo.

Tía Duma tendió la mano graciosamente a Tío Baltasar para que la ayudara a bajar del coche. Era alta, delgada, vieja. Se veía que había sido hermosa. Llevaba un tapado grueso, a cuadros, escocés, con una especie de piel dura, de mono o algo así, y se ceñía la cabeza con un pequeño turbante. Haciendo de lado la manta de zorros, la siguieron el príncipe y el anticuario. Era imposible determinar si Marco-Antonio Brandini, un septuagenario infatigablemente cortés, tenaz besador de manos, dueño de una imprevista voz atiplada, reía o tosía en el secreto de su barba en punta, hundida en los arcanos de su sobretodo.

—¿No quieren una taza de té?, ¿no quieren una taza de té? —interrogó, jubilosa, Tía Elisa.

—Es muy tarde... muy tarde... Tendremos que apurarnos para llegar a Buenos Aires...

Recorrieron a escape los vastos salones iluminados de la parte de Basilio (habían dejado la mesa, "les affaires", para lo último), y a cada instante decían:

—¡Qué curioso! C'est curieux!

(Lo cual me dió mala espina.)

O si no, cuando hacían alto, carraspeantes, frente a la chimenea de los escudos o en el "fumoir" árabe o en la galería de cuadros, Tía Duma les explicaba brevemente que su Tío Damián había sido "un hombre increíble", "très polisson" (todos sonreíamos con apresurada amabilidad), que había dado allí unas fiestas tremendas.

De repente se volvió hacia Tío Baltasar y le preguntó:

—¿Y tu traducción, Baltasar?... ¿qué era... Michelet... o Vigny?... ¿cómo anda?

Desde su altar romántico, al que prestaban basamento los volúmenes de la Édition Nationale anotados de su puño y letra, Tío Baltasar se inclinó, impávido, incomprendido, víctima inocente, en ese mismo altar en el que servía de sacerdote y de cordero, de la frivolidad de su familia:

—Es Hugo, Tía Duma, Victor Hugo. Ya he traducido cinco obras en verso y ahora estoy terminando "La Légende des Siècles".

—Es cierto... Victor Hugo... perdóname... Victor Hugo... "Non, l'avenir n'est à personne! Sire! l'avenir est à Dieu!" Perdóname... lo sabía... lo sabía por Sebastián...

El príncipe Marco-Antonio Brandini rió o tosió, y se agitó y sentí un vago olor a remedios. Lo palmeó a Tío Baltasar comentando:

—Victor Hugo... qué maravilla.... y qué paciencia...

En cuanto a Monsieur Moïse de Levinson, ante quien Basilio se dobló profundamente, como si se tratara de otro príncipe italiano, el largo andar entre muebles franceses firmados por los ebanistas célebres del siglo XVIII, husmeándolos, le había transformado sutilmente la típica nariz hebrea en una típica nariz borbónica, y como poseía una cabeza demasiado grande, hermosa, viril, que echaba noblemente hacia atrás, sobre un cuerpo más bien menudo, daba la anómala impresión de un busto (no de un personaje de cuerpo entero, sino de un busto), al que sólo le faltaba la peluca para ingresar en una galería del tiempo de Luis XIV. Tocaba las sillas; deslizaba sus manos ágiles, al pasar, sobre los marcos de los cuadros —como si los marcos fueran más importantes que las pinturas—, y repetía:

—C'est curieux... c'est curieux...

Cruzamos el patio de la magnolia, que con ser tan bonito a la luz de la luna resultaba desagradable a causa de la brisa que los obligó a levantarse el cuello de los abrigos, y entramos en nuestra parte de la casa.

—¿Y este trémolo? —inquirió el príncipe.

—Es por la refinería.

—¿La refinería?

—Sí, la refinería de petróleo que queda frente al río. Trabaja sin parar.

—¡Ah, es cierto, la refinería, la fábrica! —dijo Tía Duma.

Por sus ojos claros corrió una sombra rápida, y nos dimos cuenta de que, a pesar de sus viajes, de sus amantes, de su vida europea, de sus mil preocupaciones, no había olvidado la afligente historia de la venta realizada por mi abuelo y de los esfuerzos inútiles de Tía Ema para conseguir que no se llevara a cabo.

—Pero... ¿por qué se han molestado?... —exclamó la anciana señora ante el comedor deslumbrante en el que los postres fulguraban, bajo la araña, como si poseyeran una claridad interior y la crema y el azúcar fueran luminosos.

—En verdad... —insistió Tía Elisa— ¿no quieren una taza de té... calentito...? ¡Hace tanto frío y la chimenea tira tan mal!... el humo...

—O un Jerez. ¿Una copa de Jerez? —ofreció Tío Baltasar.

Tía Gertrudis sirvió el vino, que tomaron de pie, apremiados, como nosotros habíamos sorbido el té en el antecomedor, mientras que las tazas de porcelana de mi abuela, los platos, las tortas, los sandwiches, aguardaban abandonados en torno de la mesa.

Cuando Tío Elisa giró hacia el príncipe con la copa en la mano, advirtió que estaba inmóvil, muy pálido, como si de repente le hubiera dado un ataque. Dirigía a Duma unas miradas agónicas, esforzándose por sonreír, y como su proceder era tan extraño no supimos si lo hacía en serio. Su vieja amiga cazó por fin el mudo mensaje:

—¿Qué sucede, Marco-Antonio?

Siguió la dirección de sus ojos atemorizados y notó, en un ángulo, dentro de un jarrón, varias plumas de pavo real. Se las habían regalado a Tía Elisa las alumnas del colegio, al finalizar el curso. Tío Baltasar protestó entonces por ellas, pero quedaron allí. Todos (Tía Elisa también) las considerábamos espantosas.

—Son las plumas —sonrió Tía Duma algo avergonzada—, las plumas de pavo real... Marco-Antonio es terriblemente supersticioso y cree que traen mala suerte. La superstición de los Sforza... de su familia...

Se acercó a su adorador y le puso la mano en el brazo, familiarmente:

—Voyons, Marc-Antoine...

Tía Elisa desapareció hacia el antecomedor, azorada, con el florero. La escoltaba una mirada terrible de Tío Baltasar.

El príncipe sonrió a su vez con alivio. Era un gran señor católico, dignatario de la Orden de Malta. Hacía dos años, Tía Gertrudis me lo había mostrado, en el cinematógrafo del pueblo, cuando por azar proyectaron una película corta de actualidades europeas. Iba en el séquito de un cardenal, en el Vaticano, encasquetado el bicornio, con el manto negro y la cruz blanca sobre el hombro izquierdo. La superstición invencible procedía en línea recta, desde la Edad Media, de sus antecesores. La conciliaba bastante bien —lo mismo que a su vetusto amor culpable— con su hondo fervor religioso. Superstición y fe eran para él algo hereditario, como las funciones que desempeñaba ante el Sacro Colegio.

Para destruir la mala impresión y el frío breve que la sucedió, sobre los cuales planeó la ojeada irónica del anticuario judío —que súbitamente, como si cambiara de disfraz y de materia plástica, dejó de ser un busto de Vauban o del Duque de Villars (en especial cuando la sombra le derramaba en torrente sobre los hombros un enrulado pelucón esculpido), para convertirse en un inconfundible mercader de Rembrandt arrojado del templo—, Tía Duma preguntó:

—¿Y la mesa dorada... la mesa de Napoleón I?... no tenemos mucho tiempo, Baltasar...

Caminamos hasta el "hall", que Brandini espió tímidamente a la espera de otra fatal sorpresa, y allá nos aguardaba, coruscante, la Mesa del Emperador, el sagrario de las miniaturas.

Monsieur Moïse de Levinson dió tres pasos hacia adelante. Nosotros quedamos atrás. Tía Duma, repentinamente joven y dando muestras por primera vez de interesarse por mí (era en verdad una mujer encantadora), me guiñó un ojo como diciendo:

—Ahora vas a ver si es un experto o no. Al gobierno de Francia no le quedará más remedio que comprar la mesa de tu abuelo.

Oímos la voz del anticuario que nos hablaba de espaldas. Había apoyado las manos en las miniaturas, como si fueran un instrumento musical, un clave, y de ellas se fuera a elevar un acorde delicado.

—Es perfecta —dijo—. *Elle est parfaite dans son horreur*.

Y para que no hubiera lugar a dudas, insistió en castellano:

—Es perfectá en su horror. Perfectá.

Quedamos estupefactos. Tía Duma miraba al suelo.

—Napoleón III —continuó, despiadado, Monsieur de Levinson—. El horror caracteristicó de Napoleón III.

Y volvió a decir:

—*Elle est même assez parfaite dans son horreur*. Debe ser un travail de 1860 o 1865... el final de Napoleón III... la peor epocá... sin duda su padre la compró entonces... Los argentinos compraron beaucoup de choses en París en cette epocá... He visto muchas en Buenos Aires...

Se dió vuelta hacia nosotros, hacia mis tíos congelados que no acertaban a moverse y que rodeaban a Tío Fermín, espectrales, diseñando en las sombras de la sala, donde se daba sepultura a una ilusión, otro "Entierro del Conde de Orgaz". Todavía reiteró, cruel, con una crueldad que supongo inconsciente porque fué demasiado atroz para creerla lúcida — la crueldad y la indiferencia propias de un hombre a quien constantemente le presentan objetos del tipo de la Mesa del Emperador para que los juzgue, y que debe expedirse sobre ellos sin concesiones, como un médico que, sin titubear, diagnostica un cáncer:

—Elle est amusante... Un documentó... el documentó de una epocá barbará...

Y caminaba alrededor de la mesa, se ponía de rodillas como para adorarla, estudiando su base, mientras los veinte mariscales intrépidos sostenían el fuego de su mirada y el peso enemigo de sus manos como si estuvieran en Waterloo:

—Un documentó... pero, ¿quién podría comprar ahora esto? ¿A dónde se guardá?... es curioso... c'est curieux... En tiempo de Napoleón III se hicieron des reproductions de estos mueblés... el original debe estar en Fontainebleau... parfait dans son horreur...

Nos observaba, cándido, feliz, como si acabara de darnos una buena noticia.

Tía Duma no formuló ningún comentario. Se tragó su propia decepción. ¡Había creído, ella también, durante tantos años, que la mesa de su tío, alabada por toda la familia, era un objeto artístico e histórico de extraordinaria calidad!... Y, al fin y al cabo... ¿qué le importaba a ella?... Había hecho lo posible... lo había llevado a Monsieur de Levinson a "Los Miradores"... Lo demás...

Aceleró la partida. Nos besó uno por uno, mundana, simpática, pidiéndonos que la visitáramos en Buenos Aires.

—Estoy en casa los jueves... siempre...

Nos envolvió en la estela de su perfume. Y se fueron en la noche de otoño, glacial, con gran estruendo del Packard.

Entramos en el comedor, silenciosos.

—Quién lo iba a decir... —murmuró Tía Elisa.

Tío Baltasar explotó, rotundo, victorhuguesco:

—¡Es un imbécil! ¡Un cretino! ¡Ese hombre no sabe nada de nada!, ¡un imbécil! Y Tía Duma... Tía Duma está reblandecida... Michelet... Vigny... ¡bah!... La mesa...

Pero no se animó a decir: "la Mesa del Emperador".

Comimos las tortas, comentando su delicia. Tía Gertrudis se refirió a la belleza de Tía Duma; Tía Elisa, a la elegancia de Marco-Antonio Brandini.

—Están reblandecidos los dos —refunfuñó Tío Baltasar.

Tío Fermín pidió más torta de chocolate. A Moïse de Levinson no lo nombraron. Nadie lo nombró más. En los días subsiguientes, fué como si hubieran estirado un velo sobre lo ocurrido esa tarde; como si esa tarde no hubiera existido. Transcurrieron semanas antes de que la Mesa del Emperador recuperara su pasado prestigio, pero lo fué recobrando poco a poco, como si la escena penosa no hubiera tenido lugar, y si el mueble de mi abuelo no hubiera sido insultado, despreciado. Claro que a nadie volvió a cruzarle por la cabeza la idea de venderlo. No: la Mesa del Emperador era algo demasiado precioso, demasiado único, demasiado cargado de memorias admirables, para que mis tíos se resolvieran a desprenderse de ella. La mesa seguiría con nosotros. Y siguió hasta el final. Tío Baltasar recogió del suelo el escudo caído, golpeado, rajado, y lo alzó olímpicamente. Para que el escudo protector volviera a ser invulnerable era menester una cosa: no hablar de él, no mencionarlo. Mis tíos no lo mencionaron más. Ni Monsieur de Levinson ni la Mesa del Emperador fueron mencionados de nuevo... sólo Tío Baltasar los nombró una vez. La mesa continuaba donde había estado antes, siempre, intacta. Monsieur de Levinson no existía. Lo otro —la humillación, el dolor, la sorpresa— ninguno debía verlo, ni siquiera en el recuerdo; ellos mismos se lo debían ocultar entre sí para que la mesa no perdiera ni una de sus virtudes mágicas, para que los mariscales ("Berthier, príncipe de Wagram; Murat, rey de Nápoles; Augereau, duque de Castiglione...") continuaran velando por nosotros; montando guardia en las galerías de casa con sus enjoyados sables curvos, lujosos como alfanjes, de noche, a la hora en que mis tíos y yo dormíamos y en que —según me había contado Úrsula cuando yo era muy chico— los mariscales de Napoleón ambulaban por las escaleras de "Los Miradores", los unos en pos de los otros, sin que chirriaran sus ceñidas botas, sin que tintinaran sus placas, sus cruces y sus espuelas, sin que se oyera ni el más leve roce de sus brandeburgos, de sus uniformes forrados de pieles suaves, de sus adornos amarillos y negros de pantera y de leopardo, cuidando nuestro sueño, cuidando que los ladrones no vinieran a robarse la Mesa del Emperador.

Pero esa noche —la noche del día nefasto en que nos visitaron Tía Duma, el príncipe Brandini y Monsieur Moïse de Levinson— los mariscales de Francia, sin duda anonadados por la revelación de su pobre secreto (una impresión de la cual tardaron en reponerse antes de retomar el fantasmal servicio de guardias nocturnos que mi abuelo les había asignado), permanecieron recluídos en sus celdas de porcelana, dentro de las miniaturas de la mesa. Lo sé porque, muy tarde, me desperté en mi dormitorio. Oí rumores en la planta baja, me asomé al hueco del "hall" y, en lugar de la ronda de los jefes imperiales que debían subir y descender en fila militar la escalera, esbeltos, palaciegos, formando una cadena de eslabones de esmalte y de oro, tan felinos y cautelosos como los leopardos y las panteras cuyas pieles bordeaban sus trajes, distinguí abajo a Tía Gertrudis envuelta en su remendado batón. Estaba quemando en la chimenea las plumas de pavo real, como una bruja.

—Estas porquerías —decía entre dientes— ...estas porquerías...

Me pareció que Tía Gertrudis lloraba, pero tal vez

fuera el efecto del humo, porque la coleccionista de fustas, la camarada viril de caballos y de perros, no lloraba jamás... no sabía llorar... ni siquiera sobre los despojos de la corona real de Inglaterra, arrancada de su cámara solemne de la Torre de Londres y cuyas 3.200 perlas y diamantes habían sido convertidos por un alquimista hebreo envidioso, en guijarros... en guijarros... en montoncitos de guijarros sucios...

VII

A pesar de que lo disimulamos, la decepción provocada por el experto judío fué grande. Hasta para mí, por ejemplo, que aunque no compartía las ilusiones y los sueños fastuosos de mis tíos estaba habituado, desde niño, a considerar a la Mesa del Emperador como una pieza extraordinaria, como el sobreviviente de una época magnífica, como el testimonio de nuestra *calidad,* la súbita revelación que la redujo a sus melancólicas proporciones exactas fué algo que me dolió tan profundamente como cuando leía alguna crítica burlona de Paul Fort o de Amado Nervo —escritores que sin embargo no me gustan—, porque mi madre opinaba que esa, con ser tan distinta la del uno de la del otro, es la única poesía verdadera, y entonces me parecía que la sátira del crítico iba dirigida contra mi madre. El sarcasmo de Monsieur de Levinson —la *parfaite horreur*— tenía por blanco no sólo a la mesa sino también a toda mi crédula infancia, nutrida de Amado Nervo y exaltada por la cercanía de un objeto que había pertenecido a Napoleón.

A partir de la visita de Tía Duma y de sus acompañantes, se produjo un cambio esencial en la actitud de Tía Gertrudis, de Tía Elisa y de Tío Fermín frente a Tío Baltasar. Hasta entonces habían respetado su templo del invernáculo con una fervorosa unción que podía ser también un desinterés velado. Rara vez aparecían por allí, para no perturbarlo en su tarea o para que no les leyera sus inagotables estrofas. Les bastaba con saber que la tarea seguía adelante, es decir que Tío Baltasar seguía respirando dentro del pulmón de acero de Victor Hugo, a través de las copiosas noticias que mi tío les suministraba en el comedor. Ahora no. Ahora invadían su reducto en cualquier momento, con cualquier pretexto, y se inclinaban, ávidos, sobre sus carillas desiguales colmadas por una alta letra angulosa. Después del desengaño de "el Pergamino" (el Dr. Washington Villar se fué esfumando en una lejanía de papeles sellados), y después de que se convencieron de que el mueble imperial, trasladado del aire victorioso de Napoleón I a la modestia burguesa de Napoleón III, era imposible de vender, no les quedó más camino que afirmar su fe en la traducción de Victor Hugo. Se aferraron a esa esperanza con uñas y dientes. Si la perdían lo perderían todo, y la confianza en el viaje —puesto que era vano aguardar nebulosas loterías que empero no dejaban de comprar— terminaría por desaparecer, con lo que su existencia carecería de sentido. Así que, sin anunciarse, arrostrando la probable cólera de Tío Baltasar, empujaban la puerta del invernáculo donde yo aprendía los nombres y los epigramas de los contertulios de Mademoiselle de Scudéry, o las marcas de las manufacturas de porcelana francesa, junto al brasero, para averiguar, haciéndose los distraídos, si faltaba mucho para poner fin a la versión de "Le cimetière d'Eylau" y si ya había sido empezada la de "La vision de Dante". Y Tío Baltasar, que realizaba su trabajo sin orden y que estaba acostumbrado al clima de religioso misterio que lo había rodeado, dejaba escapar los estribos y se enfurecía, porque antes, cuando hablaba de las dificultades innúmeras de su obra, solía tropezar con una indiferencia disfrazada de amabilidad, mientras que ahora se le exigían constantes informaciones que tenían el carácter de estrictas rendiciones de cuentas y que eran, precisamente, lo que más le indignaba tener que presentar.

No sé si fué la persecución solapada de sus hermanas y de su tío —el cual, en su inocencia, procedía con menos habilidad que los otros, zumbando como un tábano alrededor de su escritorio—, o si fué que en realidad la agotadora labor a la cual había consagrado tantos años de su vida había concluído por cansarlo (porque, si bien se mira, debe ser horrendo, como castigo, condenarse a uno mismo a traducir en verso a Victor Hugo durante más de cuatro lustros cuando se carece de un don poético natural... y aun cuando se lo posee), pero lo cierto es que Tío Baltasar comenzó a dar muestras de una fatiga, de una incuria y quizás de un desaliento que yo no le había conocido hasta entonces. En una ocasión —recuerdo que yo estaba en mi pupitre, resumiendo las mortales aventuras de Telémaco —Tío Baltasar, sin que nada hiciera presentir su actitud violenta, alzó el grueso volumen negro de la Édition Nationale —el tomo IV de "La Légende des Siècles"— y lo arrojó frenéticamente contra el suelo. Allí quedó el pobre Hugo, de bruces, deslomado, a la sombra de la estatua de América.

—Victor Hugo... —murmuró mi tío con los dientes

apretados— Victor Hugo... tráeme un vaso de agua, por favor...

Se lo serví a escape en la cocina, y cuando regresé al invernáculo lo hallé más tranquilo, con el libro entre las manos.

—Ese imbécil de Monsieur de Levinson —exclamó imprevistamente, ya que, de acuerdo con la tácita consigna, no se lo nombraba—; ¿y por qué *de* Levinson... vamos a ver?... *de* Levinson... ¡bah!... hasta el apellido es fraguado... Si no hubiera sido por él, no tendría que andar ahora a los apurones, atosigándome, entre estos imbéciles que me persiguen y no me dejan en paz... cómo si se pudiera traducir a Hugo al galope... Monsieur *de* Levinson... ¿qué sabe ese imbécil?... Me hace acordar a Plinio... Plinio se mofaba de los presuntos "connaisseurs" de su época que sostenían que podían distinguir a los bronces auténticos de los falsos por el olor... por el olor... ¡ja! ¡ja!

Para divertirlo, puesto que estaba tan nervioso, al borde de la histeria, le conté que Mark Twain descubrió en los museos europeos que las copias de las viejas obras maestras son siempre más agradables a la vista que las obras originales. Tío Baltasar se echó a reír, golpeando los libros con su manita de madera, pero pronto se ensombreció y cortó su risa loca, casi infantil:

—¡La mesa es la Mesa del Emperador, Miguel, y basta!... lo auténtico... ¡ay! Ustedes no comprenderán nunca lo que significa la faena extenuante en la que me he metido... Para traducir a Victor Hugo, para traducirlo bien, hay que ser otro Victor Hugo... Victor Hugo... ¡bah!

Y se irguió, orgulloso, en su pequeño tinglado.

Durante el resto del año asistí sin proponérmelo a lo que se podría llamar un proceso de descomposición. Tío Baltasar fué debilitándose. Acaso fueron debilitándose, simultáneamente, su fe en Victor Hugo y en sí mismo, en sus fuerzas. El terrible monstruo a quien él pretendió devorar, lo devoraba a su vez a la larga, le bebía la sangre, como un inmenso vampiro de ilustración romántica, como un vampiro diseñado por Deveria, o por Doré o por el propio Victor Hugo. Mi tío no daba más. Prohibió la entrada a sus parientes. Sólo yo debía acompañarlo, en cuanto regresaba del colegio, en el invernáculo donde traducía cada vez menos, donde permanecía las horas muertas con el diccionario de rimas en las rodillas, sin mojar la pluma. Pero, con todo, la obra seguía adelante, y por lo que deduje de una compulsa veloz que realicé en sus cuadernos, aprovechando una ausencia suya, ya faltaba poco para llevarla a fin. El manuscrito colosal de "La Légende des Siècles" estaba casi listo para agregarse a los de "Les Châtiments", "Odes et Ballades", "Les Orientales", "Les Feuilles d'Automne" y "Les Chants du Crépuscule" o sea un total de ochocientos abrumadores poemas, algunos extensísimos, que formaban una pila de paquetes pesados, atados con cintas que habían perdido el color, que se amontonaban como un equipaje fantástico en la estantería del cobertizo, y cuya sola visión daba miedo.

La primavera transcurrió lentamente, y con su marcha se acentuó la inminencia del regreso de Berenice. Una tarde me crucé con su abuelo en la plaza del pueblo —yo rondaba la casa de la lira, deseando encontrarlo— y me dijo que a la semana siguiente llegaría.

Al otro día fuí a pescar con Simón. Olvidado de mis

experiencias anteriores, de la época en que me espiaba cuando yo iba a visitarla, de su delación, enajenado por la vuelta de la muchacha que yo quería, le anuncié súbitamente el pronto retorno de Berenice. A alguien tenía que confiárselo, porque la noticia, de tan grande, no cabía dentro de mí. Si me hubiera detenido a meditar dos veces, hubiera callado, pero no pude hacerlo. Me quemaba la lengua. Simón, sentado a proa, me daba la espalda. Continuó pescando, sin tornarse hacia mí, sin un comentario, como si no me hubiera oído. La noche comenzaba a caer sobre nosotros, plateada y azul. Había estrellas entre los sauces. Los camalotes pasaban, despaciosos, como balsas, y en uno vi, parada en una pata, una pequeña ave zancuda. De repente me percaté de que Simón estaba llorando en silencio por el leve estremecimiento que le sacudía los hombros y que hacía temblar en sus dedos la caña de pescar. En medio de mi alegría, me dió mucha pena. Dejé mi caña, atravesé el bote, y murmuré:

—¿Simón... qué te sucede?

Entonces se dió vuelta. Brillaban las lágrimas en sus ojos negros. Antes de que yo pudiera evitarlo, se inclinó hacia mí, me tomó una mano y me la besó. Sentí sus lágrimas sobre la piel. Quise soltarme, pero no lo conseguí. Simón no podía dominarse ya, y lloraba, lloraba sobre mi mano. Le deslicé la otra por el pelo amarillo que la luz de la noche hacía blanquear.

—Pero Simón... pero Simón... vamos... vamos... Si no es nada... si siempre seguiremos siendo amigos... igual que ahora...

—No... no... te irás... te irás...

Por fin se desprendió y se ubicó nuevamente en la proa, de espaldas. Yo me puse a remar hacia el embarcadero de la destilería. Pensaba en Berenice, en mi paje juglar del festín del viejo Capuleto, y pensaba que la exquisita armonía de su cuerpo y de su cara se fundían con la de esa noche densa de perfumes, de suerte que Berenice estaba en todas partes, mientras bogábamos pausadamente hacia "Los Miradores", cuyas luces se veían, allá arriba, lejos, en la barranca, como si la casa, el invernáculo y la cochera fueran enormes vacunos negros que dormían bajo la luna: Berenice estaba en la hermosura doliente de los sauces, en la esbeltez de los álamos, en la transparencia del cielo, en la trémula claridad del agua. Hacia donde me volviera hallaría su rostro amado. Empecé a cantar muy bajito, en el susurro de los remos, en el susurro de las ramas y de las hojas muertas que la quilla del bote apartaba de su camino. Cantaba, ausente, con un egoísmo maquinal, y adelante iba Simón, curvado, irreconocible con su pelo plateado, lunar, como si lo hubieran tallado en la proa.

—Simón... Simón...

Y él callaba.

Regresó Berenice, pues, más bella que el año anterior, más mía, y como el año anterior yo multipliqué las visitas a su casa. La diferencia fincaba en que ahora Tío Baltasar estaba en "Los Miradores" y no podía dejar de enterarse de a dónde dirigía yo mis pasos cuando, concluído el estudio, huía del invernadero. La sola muestra de su desaprobación que tuve, fueron sus ironías. Se refugió en ellas con cierta saña impotente. Cuando advertía que cerraba los libros y me aprestaba a partir, comenzaban sus pullas que hacían blanco en el snobismo del carrocero, en la sonsera del músico y en la mediocridad de Berenice. Yo lo escuchaba sin comentarios, y me iba. ¡Cuánto había cambiado Tío Baltasar! Dijérase que su voluntad, su vanidosa voluntad, lo había abandonado, que harto de luchar había cedido por fin. Ni siquiera osaba imponérseme como antes. Yo ya cumpliría pronto diecinueve años, y el amor de Berenice me robustecía, mientras que él dejaba día a día el terreno que había conquistado tan enérgicamente y, replegado en su cobertizo, en su diminuto proscenio de dudosos tablones, hojeaba con vago mirar los millares de carillas que componían su traducción y agregaba aquí y allá una palabra o una nota. Había enflaquecido mucho y ya casi no salía a caballo. A veces, cuando andaba por el invernáculo con "La Légende des Siècles" bajo el brazo, yo sentía el peso de sus ojos fijos sobre mí. En lo único que no había cejado, con testaruda pasión, era en su afán de que yo siguiera preparándome para el viaje. Era inflexible, y las guías, las tarjetas postales, los libros y los atlas se amontonaban encima de mi pupitre.

¿Por qué, si fuí tan libre, si pude verla a Berenice cotidianamente, si sus padres y su abuelo me reiteraron las pruebas de su amistad aunque yo suprimí los relatos mundanos y fantasiosos que los divertían, me embargó entonces, con un matiz nuevo, más agudo, la sensación que en otras ocasiones, desde mi infancia, había experimentado: la sensación de que estaba prisionero en la quinta? Sentado en mi silla de estudiante, con el Baedeker de Alemania abierto sobre la mesa y, a ambos lados, como si fueran los primeros muros, los inmediatos, de mi cárcel, las pilas de libros que ascendían en torcida columnata, y con las reproducciones de los cuadros célebres que analizaba, apoyadas en el tintero, me parecía que si afinaba el oído podría captar el rumor de la hiedra que reptaba sobre el invernáculo, aferrándose a los rotos vidrios, a las persianas destruídas y al herrumbroso esqueleto. Oía el crecer de la invasión que doquier me circundaba, encerrándome con el Baedeker alemán en la gran celda de mi tío: la marcha sigilosa de los árboles, de la araucarias y las palmeras, que agobiaban con su cercanía a la caja de hierro y de cristal y la rozaban con su follaje lleno de débiles voces; la de los insectos que recorrían la armazón metálica y se decidían a entrar y revoloteaban pesadamente alrededor de la lámpara de kerosene. Y me parecía que las figuras de estaño de la fuente y la estatua de América y la estatua de la reina que alzaba, como un extraño fanal, la cortada cabeza de caballo, se movían también imperceptiblemente y avanzaban hacia mi mesa, entre las mariposas, las moscas y los largos bichos verdes y azules, entre las ramas que colgaban a través de los vidrios quebrados y que tendían hacia mí sus brazos oscuros, porque toda la tarde crepuscular de verano que me rodeaba, poderosa, paciente, espesa, adentro y afuera del invernáculo, venía hacia mí, con un lentísimo caminar de raíces, con un inaudible progresar de élitros y de patitas peludas, y un alargarse —como cabezas sobre finos cuellos— de flores, y un estirarse ingrávido de frondas, y un tenue vacilar de estatuas, y un parpadear tenebroso de filodendros que en la sombra se enroscaban como pulpos. La tarde y la noche de verano calientes se levantaban alrededor de mí, que leía la descripción del Tiergarten de Berlín, donde conviene, según mi guía de 1914, "*le soir, éviter les endroits écartés*", y en el centro de esa tarde y esa noche, que Tía Gertrudis, Tía Elisa y Tío Fermín tornaban más mágicas todavía, sentados en los balcones a contraluz, con sus pantallas y sus abanicos, y a cuya inquietud secreta Simón contribuía con sus lágrimas, en el centro, en el centro mismo de esa tarde y esa noche, en el centro del invernáculo penumbroso, Tío Baltasar me miraba de tanto en tanto, quitando los ojos del libro de Hugo; miraba al pequeño prisionero tan libre —que en verdad no sabía si estaba libre o preso, porque todo era tan raro en esa época, tan misterioso, que yo no lo podía entender, y además estaba tan fascinado por mi amor que eso me embotaba el raciocinio para los demás—; me miraba hondamente antes de que partiera, saltando por las calles solitarias, hacia el salón donde me aguardaban, entre altos vasos de limonada fresca, Chopin y Berenice.

Ese año, César Angioletti fué para mí una verdadera revelación. El hombre tímido, reconcentrado, celoso, se dió cuenta sin duda de que yo no podía hacerle ningún mal, de que iba a su casa como un amigo, y —como suele suceder con los apocados que pasan rápidamente, no bien se les brinda un apoyo, de la enclaustrada cortedad a la franca comunicación, mucho más abierta a menudo y por rebote que la de los seres aparentemente expansivos— me entregó sin obstáculos su afecto. Comprendí entonces qué profunda era su soledad, y como ése es el mal del cual yo sufría me acerqué a él. Vivía en la casa de la lira, entre Matilde, que era el más delicado, el más decorativo de los muebles, y Fulvio Serén, que estaba habituado a imponer su personalidad cándidamente ostentosa, apuntalada por el dinero, y que hablaba, que monologaba sin ton ni son; así que debía sentirse muy solo, muy extranjero. A Berenice, con quien hubiera podido entenderse más, la veía poco a causa de sus estudios. César Angioletti era la víctima de la existencia que había escogido sin saber con exactitud qué le había sacrificado. Carecía de amistades en el pueblo. ¿De quién hubiera podido ser amigo? ¿Del cura, del viejo periodista, de Tío Baltasar? De ninguno... Y en Chopin, que en su juventud, en el momento en que le tocó medirse con sus probabilidades artísticas, había sido su fuente de angustia —en Chopin que lo había destruído entonces— halló después, ya serenado, ya establecido, seguro de que no tendría que lidiar con él en los proscenios hostiles como con un temible adversario, halló un aliado, el único aliado contra el aislamiento que le imponían sus dudas y su timidez. Y lo curioso es que —tal vez porque sabía que no debería luchar con él en público, reiterando ante los distintos auditorios el febril combate singular— César Angioletti se transformó en un notable intérprete de Chopin cuando no necesitaba un virtuosismo técnico tan perfeccionado. Hasta yo, que tan poca música conocía, no dejé de advertirlo. Angioletti se sentaba al piano y era como si se lanzara en una barca audaz, desplegadas las velas, al mar revuelto y nocturno de Federico Chopin. ¡Con qué destreza manejaba su navío negro! ¡Cómo se alzaba sobre el oleaje impetuoso, en las crestas sonoras, y se dejaba caer en los abismos! Verdad que en ese romántico mar de música seguía solo, porque los demás —su mujer, el cura, el periodista, el carrocero— lo contemplaban desde la ribera, confundidos con las pinturas comestibles del salón, y, como los faunos y las dríadas de esas pinturas, no podían intervenir en su loca carrera ni tripular con él la embarcación arrebatada por el viento; pero Chopin y él eran entonces una sola realidad inseparable, plena, y únicamente cuando había callado el último acorde y resonaban en la sala los elogios previsibles y triviales de los contertulios ávidos de vino de Oporto, César Angioletti volvía a sentirse aislado entre los que lo rodeaban.

En mí encontró, si no un amigo pues nos distanciaban demasiados lustros, alguien que lo comprendió. Al principio, el primer año en que visité su casa, mi equivocada posición estúpida —que yo juzgué a la sazón, por lo frívola, la más propia, y que creí que me ganaría su voluntad como la de su padre político— lo alejó de mí. Su cortedad, su irresolución —y acaso sus celos— no se avenían con el falso carácter aparatoso que yo le mostraba y que era precisamente lo contrario de su manera de ser y tal vez de la mía. Pero ahora me vió bajo otra faz y nos entendimos.

Angioletti poseía una rara sensibilidad poética. Él fué quien me inició en el culto de Rimbaud y de Rilke; quien leyó los versos de mis dieciocho años y los valoró a pesar de sus fallas y me estimuló a proseguir adelante. Así como el amor de Berenice me había descubierto la arquitecturada nobleza de los clásicos franceses en la hora oportuna, cuando yo estaba maduro para captarlos y no requería más que un clima pasional propicio para recibir su estético mensaje, la perceptividad aguzada de su padre, del artista, del músico, me hizo sentir la otra poesía, la más misteriosa, aquella que mueve mecanismos más sutiles y que se concierta con lo más íntimamente mío.

Yo iba a su casa, pues, y les leía mis poemas a él y a Berenice, prevaleciéndome de que Don Fulvio no había terminado todavía su partida de dominó en el club y no había llegado. Desde su sillón de hamaca en el cual bordaba un chal con lirios y golondrinas, Matilde nos oía conversar, distraída, apartada de nosotros por murallas insalvables, pero tan hermosa que bastaba que inclinara la cabeza enmarcada por los bandós y que sonriera de repente sin comprender, para que el salón provinciano se convirtiese en un aposento de un viejo castillo nostálgico, en el que la castellana encantadora tejía hace mil años un tapiz con la historia de los Doce Pares de Francia, o con la historia de Ulises, o con la historia de David y Betsabé. Berenice tampoco percibía totalmente lo que yo aspiraba a transmitir en mis versos. Le intrigaba que los hiciera sin metro ni rima. Pero su padre se los explicaba, desmenuzándolos con cierta afectuosa turbación, como si temiera herirme, analizando las imágenes, enseñando cuáles eran, a su juicio, sus virtudes y sus flaquezas, y al hacerlo me las hacía distinguir también, me revelaba su contenido más hondo que ni yo mismo columbraba, porque sentía que los había escrito "sin querer", y eso, probablemente, eso que al propio poeta se le escapa en lo recóndito, debe ser la inspiración. Aprendí mucho en esa época, mucho, mucho. Y me desesperaba cuando Don Fulvio aparecía con el párroco y me saludaba como si yo fuera el Lord de "Los Miradores", y me preguntaba por la salud de Tío Baltasar y de Tía Gertrudis, pronunciando sus nombres y apellidos majestuosamente, como si dijera Baltasar de Habsburgo o Gertrudis de Baviera, para lanzarse en alguna peroración dislocada sobre mi bisabuelo Don Damián, a quien presentaba como el desiderátum de la elegancia, como el único hombre —en algo profesionalmente concreto tenía que fundamentar su aseveración— capaz de apreciar los méritos de un coche "Stanhope pillar" atado en tándem, o de unos Hackney zainos, o alazanes y tordillos, uncidos en cruz, de las crías de Elía o de Pearson.

Y en cuanto Chopin desataba su tormenta entre nosotros, mi comunicación con Berenice se intensificaba, porque nunca me conmovió tanto mi amor, nunca lo *viví* tan intensamente, como cuando las sonatas se echaban a volar en la sala de música, y los distintos movimientos —el "allegro", el "scherzo", el "largo" y el generoso final de la tercera Sonata en Si Menor— nos enlazaban y nos envolvían, haciendo desaparecer alrededor a los bebedores de Oporto y a la mujer de tardos ademanes que bordaba un chal, y dejando solamente frente a mí, más allá de las manos pálidas que saltaban y que se crispaban un segundo en el aire para caer, nerviosas, imperiosas, sobre las teclas, a la figura adorada de Berenice, que en el ángulo más oscuro escuchaba con los dedos en la sien.

Yo recapacitaba en lo que Angioletti me había dicho de mis poemas, de esos poemas cuya existencia ignoraba Tío Baltasar. Y, arrastrado por la música, transportado por la presencia de Berenice, sentía crecer en mí, desdibujados, los versos nuevos, muchos de los cuales se me extraviaron para siempre en la tempestad sonora, mientras que algunos quedaban en mi interior, como pájaros perdidos en la niebla, aguardando el momento, acaso mucho tiempo después, en que yo los reconocería y los rescataría y los echaría a volar. Pero en otras ocasiones pensaba en mi extraña vida de prisionero de un viaje, en Tío Baltasar, en Tía Gertrudis, en "Los Miradores". Pensaba en mi padre y en mi madre que se habían amado tanto y habían muerto en un instante, en un desfiladero de un lejano país. Y pensaba en esos otros seres de mi familia —en Tía Dumá, en Tía Clara, en Tía Ema—, ídolos pintados, ubicados en criptas que olían a benjuí y a perfumes de Worth. Cerraba los ojos y volvía a ver la llegada de Tía Duma a la quinta, la noche fatal en que la Mesa del Emperador, si bien siguió intacta, se derrumbó en pedazos frente a mis tíos impotentes para salvar sus despojos. Pero Tía Duma no llegaba en su Packard azul sino en los tres Renaults, en las tres hormiguitas con las cuales había recorrido el mapa de Italia, acompañada por un actor apasionado, por un arqueólogo, una "mademoiselle", las sobrinas, un cocinero, una mucama y una torre de equipajes, que rodaban bajo arcos de triunfo trenzados con plumas de pavo real. Su cara vieja que había sido hermosa, su cara de porcelana fragilísima, estirada, suavizada y esmaltada por la sabiduría de los cirujanos, se arrimaba a la mía, bajo el turbante, fascinadora y atroz. Abría los ojos, asustado, y distinguía en la penumbra el rostro puro de Berenice que me sonreía, y yo le sonreía también, y cuando la sonata había concluído y todos se ponían de pie para servirse más Oporto y limonada, o para buscar en las bandejas algún rezagado bizcocho Canale, yo me acercaba a Berenice sin que los demás lo advirtieran y, detrás de la silla, le oprimía ligeramente la mano.

Una noche se hizo tarde y me quedé a comer en la casa de Angioletti. Llamé por teléfono a "Los Miradores" y le pedí a Basilio que avisara a mis tíos. El padre de Simón rezongó pero prometió hacerlo. Cuando regresé, una inmensa luna colgaba sobre el parque. Al pasar delante de la cochera, me chistaron. Se me ocurrió que sería Don Giácomo, quien dormía allí, y me aproximé a las grandes puertas, pero no podía ser Don Giácomo porque se oían sus ronquidos y, cuando me asomé, distinguí a la incierta claridad que se filtraba por el ventanuco la forma del atorrante tumbada en el "dogcart" de mi bisabuelo. Detrás, en los pesebres, estaban Zeppo y Mora, cuyos pelos lustrosos relampagueaban cuando se movían, y a un lado se levantaba, entre el breve aleteo de las gallinas amodorradas, como un quiosco estrafalario, como un relegado palanquín grotesco, la masa del Peugeot Lion de 1904 de Tía Ema, el fabuloso automóvil que, según me había dicho Tía Gertrudis, se "enfriaba a termosifón", cosa que nunca comprendí pero que debió ser terrible. Había terminado sus andanzas en ese último asilo, sin ruedas, con la capota agujereada, y conservaba como testimonios de su pasado esplendor sus cuatro faros colosales, imponentes como faroles de guardabarreras, y un freno dorado que parecía un cetro, el cetro de la reina que antaño había habitado ese quiosco y había transitado en ese palanquín, entre sus damas de honor adornadas con antiparras verdes y con velos flotantes, y que los había abandonado hacía mucho tiempo, con el desdén caprichoso ante los viejos servidores que caracteriza a los monarcas absolutos.

Por segunda vez vibró el rápido chistido. El llamado —porque sin duda me llamaban— procedía del interior del gran automóvil arcaico, así que un poco curioso y otro poco aprensivo, calculando que alguno de mis excéntricos tíos podía haberse ocultado en la maltratada carrocería —Tío Baltasar era muy capaz de hacerlo— para aguardarme y reprenderme por lo prolongado de mi permanencia en lo de Angioletti, avancé hacia la descomunal litera. Y como ésta se hallaba en la parte más sombría de la caballeriza, nada divisé hasta que estuve a corta distancia de su abigarrada construcción. Me incliné entonces, y un brazo blanco salió del coche y me atrajo hacia su secreto.

—¿Quién es? —balbucí.

—Calláte. No hagás ruido que lo vas a despertar a Don Giácomo. Soy yo.

Y "yo" —lo adiviné más que lo vi— era la mujer desnuda del invernáculo, la prostituta de Tío Sebastián. Sólo que ahora llevaba un delgado vestido sobre el cuerpo.

Se pegó contra mí y sentí ese cuerpo —el cuerpo melodioso—, ofrecido bajo la tela leve. Lo sentí junto a mí, sobre mí, todo ese largo cuerpo simultáneamente, desde los labios que buscaban los míos, hasta los brazos y las piernas que me aprisionaban, y el vientre y el pecho, que se adherían también, ahogándome, como si la oscuridad se hubiera materializado no en uno sino en varios cuerpos que me ceñían con su negra sofocación. No me atreví a hablar, a causa del atorrante cuyos gruñidos resonaban a la izquierda. Y de todos modos no hubiera podido hablar, porque la mujer me lo impedía y con la suya tapaba mi boca. Fué una impresión a un tiempo agradable y desagradable: agradable porque mis dieciocho años inquietos clamaban por una expansión así y, aun sin confesárselo, suspiraban por un cuerpo de mujer como ése, que se diera, que colmara mi hambre callada; y desagradable por lo súbito y lo imperativo de ese abrazo. Quizás yo me hubiera resistido y no hubiera sucumbido ante su tentación, pues acababa de llegar de lo de Berenice y venía todo vibrante de ella, de su amor —y quizás esté acumulando pretextos para justificarme—, si no hubiera sido porque la escena (la escena que debo llamar ridículamente de "mi rapto") tuvo lugar en un sitio que se ubicaba en las fronteras indecisas de la realidad, y dentro de una atmósfera cuya misteriosa calidad poética, inapreciable para muchos pero que a mí me fascinaba hondamente, le confería a todo —a las emociones, a los actos y a las cosas— una dimensión recóndita, distinta, de tal modo que lo que allí sucediera parecía salirse de la verdad y de su exacto dibujo. Es posible, repito, que yo esté valiéndome de excusas, pero sé que no miento si digo que aquella antigua cochera y sus habitantes semiinvisibles, semicreados por la imaginación —el mendigo italiano que trenzaba coronas de jazmines para venderlas en el atrio del templo, y que a esa hora dormía; los dorados caballos impacientes; y la mujer que había vagado, desnuda, por el fondo de mis sueños, como por una terraza del Veronés o por un jardín del Giorgione—, y también esos altos carruajes de otro tiempo, diluídos, desflecados, como hechos de bruma, el "dogcart" de las cacerías y el Peugeot Lion del Corso de las Flores, contribuían a rodearme de un clima tan cautivante e imprevisto como la propia mujer que me besaba, haciendo que mi infidelidad hacia Berenice perdiera trascendencia —aunque la tenía y mucha—, pues todo lo que pasaba allí, mientras la mujer y yo nos hundíamos en los arcanos del automóvil, sobre los almohadones apolillados desde los cuales nos arañaban las iniciales de Tía Ema, entre un olor de humedad y de perfume barato, transcurría en una zona ilusoria y embrujada a la que ni Berenice ni su claro amor tendrían acceso jamás. Son vanas disculpas. Estoy disculpando a mis dieciocho años. ¡Y cuánto me arrepentí después de mi traición!

Salimos del edificio en puntillas, despeinados, ajustándonos la ropa, y sólo afuera, cuando el remordimiento que me acosaría comenzaba a atenacearme, vi a la luz de la luna que bañaba las cúpulas, las veletas y el pararrayos, la cara de la mujer, la ancha cara que antes había visto en dos ocasiones, en el invernáculo y en San Damián. Ella me besó al despedirse, y entonces, ignoro por qué razón inasible que establecía que en la quinta se sucedieran las deslealtades —que Simón me hubiera delatado ante Basilio y que Tío Baltasar lo hubiera delatado a su vez—, me arrastró a la penumbra de las casuarinas y cuchicheó:

—Fué Baltasar, Miguel... fué Baltasar el que me dijo que te esperara...

—Y él... ¿estaba ahí?

—No —y se enarcó impetuosamente—, ¿por quién me tomás?

—Y... ¿por qué?

—No sé... me dijo que te esperara. Pero si yo no te quisiera, no te hubiera esperado.

Cuando empleó esas palabras —"si no te quisiera"—, cuando mezcló la idea de amor con el rápido fogonazo de nuestra aventura, cuya revelación me defraudó tal vez por lo fugaz, por lo mínimo de su esencia frente a todo lo que prometía a mi imaginación el proscenio teatral de la cochera, reaccioné por fin ante las consecuencias de lo que había hecho y medí su alcance, porque entonces la imagen de Berenice se me apareció, tan nítida y corpórea como si estuviera entre nosotros, invocada por las palabras prohibidas que la mujer no debió pronunciar, así que, angustiado, eché a correr hacia el caserón. Me daba asco mi debilidad, me horrorizaba el efímero placer que me había encendido un instante.

¡Berenice! ¡Berenice! ¡Berenice! ¡Berenice! ¡Cómo me latía el corazón! ¡Cómo lloraban mis dieciocho años seducidos, burlados! ¿Qué había hecho? Tío Baltasar... ¿por qué?... ¿por qué me hostigaban y acorralaban?... ¿por qué no me dejaban en el aire transparente de Berenice, en el aire de Shakespeare y de Racine, en el que todo se exaltaba de nobleza y de ternura, como en esos parques glorificados por las estatuas pensativas, alzadas entre los árboles, donde sólo se deberían escuchar frases hermosas...? ¿Por qué gemía Simón sobre mi mano, asegurando que yo me iba a ir? ¿Por qué me había armado mi tío una trampa tan falaz? Por un lado se desvelaba por pulirme, por atragantarme de erudición, haciendo brillar delante de mí al "espíritu" como una patena, y por el otro me empujaba al camino más opuesto... Yo pedía tan poco... tan poco... que me dejaran con mi amor, con Berenice... que se olvidaran de mí... y ahora...

Me tiré en la cama; puse debajo de mi cara, contra la mejilla, el retrato de mi madre que me había dado Úrsula, como si su contacto pudiera purificarme de las manchas que no se veían pero que estaban ahí. Y sin embargo... sin embargo... la escena del automóvil viejo surgía de repente, recortada, en mi dormitorio, y la mujer que había tenido en mis brazos, a pesar de mi desilusión y de mi afán por conjurarla, por alejarla, por borrarla, convivía y alternaba en mi agitada memoria con la dulce imagen de Berenice, a quien casi no me atrevía a recordar, de miedo de mancharla también, pero que se elevaba de lo profundo de mi ser, como una flor acuática que asciende hacia la dura luz de la superficie, desde las tinieblas silenciosas, para abrirse y morir.

VIII

Poco a poco fuí relegando el episodio de la caballeriza en los desvanes de la conciencia. Como el episodio de la catástrofe de la Mesa del Emperador, el de la cochera perdió densidad y volumen en mi recuerdo, más rápido de lo que esperé, a medida que transcurría el tiempo —y yo mismo activé ese desconcierto que me convenía, como hacían mis tíos con referencia al ilustre mueble ultrajado, pues vislumbraba que la única manera de reconquistar la perdida tranquilidad era conseguir, si no olvidarlo, por lo menos alejarlo y diluirlo en cierta vaga nebulosa—, de tal modo que a veces no sabía en verdad si el uno y el otro eran reales o si los había soñado. Y entonces la atmósfera poética de los coches y los caballos encerrados en una penumbra lunar, que había contribuído a estimular mi tentación y, después, por contraste, a decepcionarme, me sirvió para elaborar con maquinal astucia el clima de sueño requerido, porque la escena toda se fundió y disgregó sus elementos en la bruma encantada del viejo edificio, en cuya clausurada incertidumbre emergían, como de esa gasa de vaho que enlaza a las arboledas las tardes húmedas, las cabezas finas de Zeppo y Mora, extrañas como pinturas persas, las fantasmales carrocerías, el espectro del vendedor de jazmines, y un espectro más, casi invisible, el de una desnuda mujer cuya forma lechosa, impalpable, flotaba en esa cámara que, como el invernáculo al anochecer, se trocaba en un acuario al que iluminaba una indeterminada claridad, que si era verde en el invernadero era, en el recuerdo de la caballeriza, de una quimérica palidez proyectada por un rayo de luna. Pero a veces la memoria de mi falta, huérfana de líricos atenuantes, se me aparecía en su alcance justo, aunque, como ya dije, poco a poco se fué desgastando.

Así como jamás le hablé a Simón de su espionaje de mis primeras idas a lo de Berenice, y de que Tío Baltasar me había contado su denuncia, jamás hablé con este último de la emboscada que me había tendido al enviar a la mujer a esperarme. En ambos casos intuí que ellos estaban enterados de que yo conocía su participación en esas dos ocasiones cruciales de mi vida, pero los tres callamos, y entre Tío Baltasar y yo hubo un secreto, como hubo uno entre Simón y yo. Berenice no sospechó nada. Habitaba otro mundo, otro planeta, a sideral distancia de las cocheras misteriosas donde eran posibles tales encuentros. Y esa maravillosa lejanía, de la cual yo participaba cuando estaba a su lado, me ayudó también a forjar la ficción del sueño, a reducir a sueño mi experiencia.

Yo calculaba que, puesto que me había recibido de bachiller, mi tío me mandaría a la capital a que siguiera los cursos de la Facultad de Filosofía, con lo cual podría continuar viéndola a Berenice durante el invierno, pero no fué así. Él y Tía Gertrudis resolvieron que permanecería en "Los Miradores" y que dedicaría ese año a copiar a máquina los originales de la versión de Hugo de Tío Baltasar, ya que, puesto que tan pronto nos iríamos a Europa, allí podría estudiar en la Sorbona las mismas asignaturas, junto a maestros más sabios. Lo fundamental, por ahora, era que pasara en limpio los manuscritos de cuya inminente publicación dependía nuestro viaje. Tío Baltasar, entre tanto, adelantaría su tarea de traductor que en breve tocaría a su fin.

Me resigné a regañadientes. Sin el auxilio económico de mis tíos —cuya modestia por otra parte descontaba— no podría radicarme en Buenos Aires. Había que aguardar y observar qué sucedía. De todos modos yo estaba dispuesto a echar mano de cuanto argumento se me ocurriera para quedarme junto a Berenice, para no salir del país, y además estaba seguro de que no zarparíamos nunca, de que ni aun con la publicación de los trabajos de Tío Baltasar abandonaríamos la quinta de Tía Ema.

La navegación estática del caserón recomenzó con el avance del otoño y del invierno. Don Fulvio Serén nos había prestado una máquina de escribir contemporánea probablemente del Peugeot Lion. Fuí su esclavo. Junto a ella, como junto a un infernal instrumento de tortura, transcurrieron los monótonos meses. Su teclear martilla mis oídos todavía. Verso a verso, estrofa a estrofa, canto a canto, poema a poema, libro a libro, trasladé a las innúmeras páginas vírgenes que en ella se multiplicaron, obsesionantes, parte de la enorme labor de Tío Baltasar. No puedo pensar en ese tiempo sin espanto. Cada mañana volvía a mi silla del invernadero como al banco de un galeote. Pasaban los días, y Victor Hugo no cesaba de volcar sobre mí su catarata retumbante. En medio de la tempestad épica, lírica, erótica, bucólica, la imagen de la pequeña Berenice se insinuaba, serena, como una samaritana cuyo recuerdo bastaba para aliviarme. Se asomaba, en "Odes et Ballades", al palacio donde el Sultán Achmet imploraba su amor a Juana, "la grenadine"; aparecía en "Les Châtiments", entre las abejas y las imprecaciones del autor, a la sombra púrpura del manto imperial de Napoleón III; se hacía a un lado, en "La Légende des Siècles", para que desfilara salpicando barro, con un fragor terrible de armaduras, el cortejo del Cid. Y así mil y mil veces; tantas veces que no podría enumerarlas, porque a cada instante Berenice surgía en los séquitos flamígeros, en las ciudades incendiadas, en el vórtice del huracán de las pasiones prolijamente —y repetidamente— rimadas por Hugo, y menos prolijamente traducidas por Tío Baltasar. Berenice... Berenice... si no me hubiera acompañado entonces, si no me hubiera secundado en el invernáculo tremendo, las mañanas tibias, y en el comedor de casa, las tardes en que apretaba el frío, no sé qué hubiera sido de mí.

Y entre tanto, Tío Baltasar, como un loco o como un tigre, excitado tal vez por el hipo tenaz de la máquina de escribir, cuyas descargas se mezclaban con el rezongo incontenible de la destilería de petróleo, caminaba entre las esculturas y las macetas. Mascullaba versos, apuntándolos en más y más papeles; revolvía diccionarios de rimas y los otros diccionarios; cazaba sinónimos; despedazaba metáforas; lo hundía a Hugo, jadeante, en el lecho de Procusto de su traducción. Fué atroz. Y sin embargo... si evoco lo que sucedió después, mi despojo total, debo volver con la memoria a ese tiempo como a un período en el que yo era todavía un privilegiado.

Las pilas manuscritas invadían mi mesa. De repente, desafiando la prohibición, Tía Gertrudis entraba en el invernadero. Ella y Tío Baltasar partían a caballo para un paseo corto. Entonces la tensión cedía. Yo cerraba los ojos. El torrente de Hugo aplacaba su rugir. Alrededor, los filodendros grises de polvo me miraban. Ah... escaparme... escaparme... ¿cómo no me escapé?... ¿cómo resistí?... De noche dormía bajo la cúpula resonante del Padre Hugo, como bajo la bóveda de un panteón todo lleno de estatuas de las nueve musas y de héroes de bronce coronados de diademas, de laureles, de mitras, de tiaras y de cascos, entre los cuales la sombra de Berenice seguía circulando, muy pálida, como si ella fuera el único fantasma, mientras que los demás, las invenciones ruidosas del poeta —acaso por ser tan ruidosas— lograban una vida ardiente, pantagruélica, y me envolvían en su zarabanda multicolor.

A veces, cuando Tío Baltasar regresaba de su cabalgata, me hallaba en el invernáculo con la mirada perdida, pero pronto la tarea volvía a empezar, como si el fogonero manco hubiera añadido a la caldera más carbón. Y allá íbamos, como azuzándonos aunque nos hablábamos apenas, en el chisporroteo de las alegorías, de los símbolos que saltaban de las páginas acumuladas, cuya columna, no bien desaparecía, era sustituída por otra y por otra, a lo largo de los días iguales y convulsos.

Tía Elisa y Tío Fermín, terminadas las clases diarias, rondaban el invernadero, vigilándonos. Yo veía, borrosos, a esos guardianes alertas del jaulón, detrás del fleco desigual de las persianas. También lo veía a Simón, que se acercaba un instante, más allá de las cortinas de ulcerada madera, dorado como un pequeño semidiós arisco de la quinta, como un silvano, y que se esfumaba en el verde vapor del follaje. Úrsula me traía una taza de té o unos bizcochos untados con su incomparable dulce de leche. Me alisaba el pelo con la mano, como cuando era chico, y luego, con un hondo suspiro, nos dejaba. Y no veía a nadie más.

Sólo de vez en cuando, algunos domingos, me llegaba a la casa de Angioletti, donde el músico me iniciaba en el conocimiento de Rilke. De Berenice recibí muy pocas cartas. A pesar del dolor de la ausencia y del incentivo de las charlas con Angioletti —elementos ambos que antes habían ejercido sobre mí poderosa influencia—, me parecía que ya no podría hacer más versos, que Victor Hugo, y sobre todo Tío Baltasar, su intérprete, me habían embotado el espíritu, porque si me sentaba a escribir de noche, las grandes líneas sonoras que acababa de copiar (y con las cuales mi tío reproducía el tono de Almafuerte y hasta de Juan de Dios Peza mucho más que el de Hugo) dibujaban a mi alrededor una reja invencible de cuyo encierro no conseguía huir. Toda mi lucidez se centraba en el análisis veloz e implacable del trabajo de mi tío, un análisis que realizaba insensiblemente a medida que proseguía mi copia.

Una tarde en que Tío Baltasar y Tía Gertrudis habían salido a caballo, no vencí la tentación de ensayar mis fuerzas en una tarea similar a la que había ocupado la vida del hermano de mi madre. Estaba transcribiendo la versión del famoso poema "L'Expiation", de "Les Châtiments" (*"Il neigeait. On était vaincu par sa conquête"*...). Los alejandrinos de Tío Baltasar eran especialmente malos. Puse manos a la obra y, guiándome por el texto de Hugo y el de Tío Baltasar, comencé una versión mía. Había compuesto ya unos treinta versos, cuando la sombra de Tío Baltasar, cuya entrada yo no había oído, cayó sobre la página. Sin pronunciar palabra, alzó mi boceto y lo leyó. No formuló comentario alguno. Yo volví a mi faena de la máquina, y él se ocultó en su mesa del cobertizo, detrás de las enciclopedias. Al cabo de un rato murmuró:

—Está muy bien, Miguel. ¿Así que sabes hacer versos? ¿Cómo no me lo habías dicho?

Guardé silencio, y Tío Baltasar, luego de una pausa, añadió:

—Muy bien... muy bien... con mucha soltura... y un curioso toque moderno...

Continué tecleando, con la esperanza de que reanudara su obra y me olvidara, pero Tío Baltasar se puso de pie, se plantó delante de mí y me preguntó:

—¿Qué opinas tú de mi trabajo, Miguel? Nadie lo ha visto todavía.

No se me ocurrió qué contestar. Yo odiaba tanto ese trabajo que temía que mi odio me impidiera juzgarlo equitativamente...: pero, en verdad, ¡me parecía tan chato, tan ramplón, tan duro...! Opté por balbucir confusamente que yo no era nadie para criticarlo.

Tío Baltasar me contempló largamente, y con mi hoja entre las manos volvió a su escritorio.

Esa noche Tía Gertrudis nos tomó de sorpresa al comunicarnos que sabía que la versión de "La Légende des Siècles" estaba casi concluída y que, conociéndolo a su hermano y a su profunda timidez cuando se trataba de sus propios méritos, ella misma se había encargado de escribirle a Tío Sebastián, a Buenos Aires, anunciándole el fin inminente de la obra y pidiéndole que le suministrara el nombre de un editor importante a quien pudiera interesarle publicarla en las condiciones más ventajosas.

Tía Elisa y Tío Fermín se levantaron, jubilosos, para abrazar al triunfador, al que había cortado la última cabeza de la hidra victorhuguesca, furiosamente poética, al que pronto nos llevaría a todos a Europa con el fruto de sus afanes, pero Tío Baltasar, a quien nunca he visto tan demudado, empujó hacia atrás la silla, que cayó estrepitosamente, y, rojo de cólera, gritó:

—¡Imbécil! ¿Quién te mandaba meterte en lo que es sólo mío? ¡Mi trabajo es mío y haré con él lo que se me antoje!

La "Docente" se echó a llorar, y Tío Baltasar salió del comedor dando un portazo.

En seguida, entre los gimoteos de Tía Elisa y los tartamudeos de Tío Fermín, empezó a sesionar el sigiloso consejo.

—Pero... ¿no es cierto que falta muy poco? —me preguntó Tía Gertrudis.

—Sí... creo que sí...

—¿Y tu copia?

—Estará hecha la tercera parte.

—Tendrás que apurarte. Se podrá mandar eso para comenzar, para que lo vean. ¡Baltasar es tan violento! ¡Es como un chico! ¡Qué carácter!... De todos modos, dentro de un par de días llegará la contestación de Tío Sebastián, y ya sabremos a qué atenernos.

Mucho más tarde oí que Tío Baltasar y Tía Gertrudis discutían en la habitación de esta última. Las voces subieron tanto de tono que hasta ladraron los perros, ofendidos, y que, mezclados con las réplicas enérgicas, distinguí los sollozos de Tía Elisa, pero estaba tan cansado que me tapé con las colchas y seguí durmiendo.

Tío Baltasar no fué al invernáculo por la mañana. Yo continué mi labor mecánica como si nada hubiera sucedido. Después del almuerzo, al que no asistió tampoco, y en el curso del cual Tía Gertrudis me explicó que su hermano sufría de dolor de cabeza, el traductor apareció en el cobertizo. Grave, resentido, se sentó a su mesa. Pero no escuché, como tantas veces, el rasguear de su pluma sobre las carillas. Tío Baltasar no trabajaba. Tío Baltasar, en cambio, releía antiguas versiones suyas en mis copias de máquina, versiones que había realizado tal vez quince años atrás. Yo me empiné para divisarlo, inmóvil, impasible como una fotografía, pero tenso, en la trinchera de los volúmenes de la Édition Nationale. Súbitamente, como en otra oportunidad, hacía un año, exclamó:

—¡Victor Hugo!... ¡Dios mío!...

Y arrojó al suelo las páginas de mi copia, que revolotearon alrededor de la fuente, y que yo me apresuré a recoger una a una, en tanto que él, como cuando no podía dominar los nervios, golpeaba en la mesa con su manita de madera y, sin querer, porque su mimetismo era tan evidente que ya no lo controlaba, lograba un extraño parecido con la caricatura de Daumier que muestra a Victor Hugo enfadado como un niño después del estreno desastroso de "Les Burgraves".

Pero al día siguiente estuvo más tranquilo. El cartero trajo la respuesta de Tío Sebastián, densa de ingenuos elogios para el sobrino y colega. También incluía la enumeración minuciosa de las editoriales aconsejables, con sus direcciones, y prometía su apoyo para el caso de que Tío Baltasar eligiera una. Sus hermanas ni chistaron. Había que dejar que se alejara la tormenta. Tal vez las frases melosas y desproporcionadas de su pariente *("La gloria del maestro de 'Notre-Dame de Paris' recaerá sobre toda la familia: nos enorgullecemos de ti")* contribuyeron a sosegar al escritor. Tía Elisa me hizo rápidos guiños cómplices, mientras me pasaba las fuentes. Luego lo vieron de tan buen talante que, con la inconsistencia que los caracterizaba, olvidaron lo ocurrido y reanudaron su diálogo entusiasta.

—¿Te acuerdas —lo interrogó Tía Gertrudis— de cuando fuimos a Port-Royal en el valle de Chevreuse? Tenemos que volver allí.

—Sí... me acuerdo...

—Mamá llevó el almuerzo en una cesta que casi no cabía en el automóvil.

—Compramos —dijo Tía Elisa— aquellos vasos de "faïence" de Nevers, tan raros y tan lindos, que se rompieron al llegar a casa, y en los que Mamá contaba que habían bebido Pascal y Racine, cuando los presentaba todos pegados...

—Tenemos que volver...

—Y a Dampierre... a ver las tumbas de los Luynes... Me acuerdo que había que pedirle permiso al duque para visitar el castillo, pero Papá se rió, dijo que lo iba a arreglar a la criolla, dió una propina y nos lo mostraron...

Reían todos ahora, alegres, como si su padre se hallara entre ellos; como si las copas que levantaban fueran los históricos vasos que atribuían a los solitarios jansenistas de Port-Royal-des Champs; como si esos vasos no se hubieran vendido en remate, con tantas cosas de mi abuelo; como si no estuviéramos en "Los Miradores", a treinta metros del cancerbero Basilio, viviendo de la caridad de Tía Ema, sino en su hermoso departamento de la rue Raynouard, a donde acababan de regresar, jóvenes, ágiles, con la cesta de provisiones y con la memoria fresca del sitio donde Racine se encerró, enojado, "boudeur" como Victor Hugo, después de las injurias que le acarreó su "Phèdre".

Aparentemente, Tío Baltasar volvió al ritmo pasado. Bajo el medallón de David d'Angers, tradujo sin reposo, durante tres días sucesivos. En la tarde del último —hacía bastante frío ya y a pesar de eso estábamos en el invernáculo, con el brasero encendido— me interpeló inopinadamente:

—Tú no tienes confianza en mí —me dijo—. No me hablas. Te quedas ahí, callado, como si no quisieras comunicarte conmigo, como si yo no te interesara...

—Tía Gertrudis me ha recomendado que apure la copia...

—¡Gertrudis!... esa metida... ¿qué le importa lo que yo hago, lo que hacemos nosotros? ¿Por qué no nos deja solos, con nuestros libros? ¿Por qué no nos deja vivir?

Cuando pronunció esas palabras, el eco de otras que no habían sido emitidas nunca de labios afuera pero que a menudo habían resonado en mi interior, como un ritornelo, vibraron de nuevo dentro de mí. Tío Baltasar se quejaba, como yo, de que no lo dejaran en paz. Yo pedía que me dejaran con Berenice, con el recuerdo de Berenice, elaborando mis sueños, y él pedía que lo dejaran conmigo, solo conmigo, haciendo su obra, en su pequeño mundo extraño.

Hacia el crepúsculo, salí. El aire presagiaba tormenta. Lejos, sobre el río, se encendían y apagaban los breves relámpagos. Frente a la cochera, me alertó el chistido de la mujer. Me aproximé, dispuesto a encarecerle que se fuera, que no esperara nada de mí. Me detuvo un instante en la penumbra:

—Necesito verte, Miguel, aunque sea un momento.

—Andáte... andáte...

—Oíme... por lo menos oíme...

—Andáte de una vez.

—Oíme —y me apretó el brazo, tanto que sentí sus uñas clavadas en la manga—, yo te quiero... oíme... Tené cuidado con Baltasar... está loco... no habla más que de vos... dice que vos escribís mejor que él... que te negás a ayudarlo... qué sé yo... siempre habla de vos... me tiene harta... parece un loco... Y yo lo conozco bien, Miguel, mejor que nadie... En verdad, él y yo nunca...

Rehusé seguir escuchando. No quería saber. Como tantas veces, otras frases surgieron de la sombra del tiempo, confundiéndose con las que oía, encaramándose sobre ellas, suplantándolas. Y en esa ocasión, las que escuché y que avanzaban del fondo de mi conciencia, fueron aquellas, inconclusas, que Tía Gertrudis dijo cuando estuve en su dormitorio: "*Aquí somos raros todos. Hay que resignarse. Algún día comprenderás*"... Pero yo no quería saber, no quería saber qué pasaba entre esa mujer del pueblo y Tío Baltasar. La gente de la quinta aflojaba la red invisible que desde que yo era niño tejía alrededor de mí, y no bien yo me creía más libre tropezaba de nuevo con sus ocultas mallas.

A pesar del frío y del aguacero seguro, después de comer fuí con Simón al cinematógrafo. Tenía que distraerme, que desembarazarme durante un par de horas del peso de Victor Hugo, del repiqueteo de esos versos abrumadores. Como Tío Baltasar, Basilio no entorpecía ya que anduviéramos juntos, quizás porque ello no sucedía sino en espaciadas oportunidades, pues la copia insumía todo mi tiempo y de noche caía en la cama, rendido.

Pasaban una película de horror, grotesca y desagradable, en la que una momia egipcia recuperaba la vida gracias a un aparato pomposamente científico, y se lanzaba por las calles de Londres, con agresiva naturalidad, a asesinar ciudadanos. Hacia la mitad, cuando culminaba la truculencia, y Doña Carlota, la tendera, que estaba sentada a mi lado, se había retirado sin disimular los improperios, Simón, impresionado, me puso la mano sobre la manga, en el sitio mismo donde la mujer del invernáculo me había hundido las largas uñas. La dejó allí, como si, absorbido por el vértigo de las peripecias, la hubiera olvidado, y yo no osé retirar el brazo para que mi amigo no pensara que me incomodaba su presión. Lo sentía muy cerca, merced a ese imprevisto puente que se tendía entre nosotros. Lo sentía, anheloso, trémulo.

La lluvia nos sorprendió mientras regresábamos a "Los Miradores". Se descargó, iracunda. Soltáronse los truenos. Corrimos, empapados, medio abrazados, pues además de los sobretodos no habíamos llevado más que una capa de goma. Entramos por la parte posterior de la casa y, a escape, nos separamos hacia nuestras habitaciones. En mi cuarto, las persianas abiertas batían, dementes, como si hubieran cobrado vida y ansiaran arrancarse de sus goznes viejos y echarse a volar hacia el cielo lívido, agitando sus grandes alas grises. Me apresuré a cerrarlas, y en ese momento, abajo, en el despeinado jardín, lo divisé a Don Giácomo.

A la luz de los relámpagos que bruñía las herrumbres violáceas y las palideces de la arboleda invernal, venía, saltando, por el camino que bordeaban las higueras y los restos de las parras antiguas que se habían desplomado hacía mucho y que habían arrastrado en su caída los arcos de la glorieta. Detrás, blanquísimo, como tallado en azúcar pero también como si fuera un quieto fantasma, brillaba por instantes, en el súbito claror, el busto de mármol que todos nosotros creímos durante largos años que representaba al emperador Marco Aurelio, hasta que un buen día nos enteramos, atónitos, de que era un retrato bastante infiel, "a la romana", sin cuello, sin corbata, sin saco y sin camisa, del Dr. Aristóbulo del Valle, amigo de mi bisabuelo Don Damián.

Coronado de hojas que mojaba la lluvia, borracho, iluminado a veces por los relámpagos y a veces engullido por las tinieblas, Don Giácomo me recordaba más que nunca los cuentos de Úrsula, según los cuales era el único sobreviviente de la población mitológica que había merodeado por los islotes que fueron de mi familia y que vendió mi abuelo. De acuerdo con esos relatos, que Úrsula me refería en la cocina cuando yo era chico —y en los que asomaban, de tanto en tanto, la sirena azul, el gigante guaraní que pescaba en una roca, río arriba, y los tigres elásticos que llegaban las noches de luna, prendidos a los camalotes—, antes de que se estableciera la destilería, en tiempos en que ella era muchacha y vivía en el pueblo, esas islas habían sido habitadas por seres felices. Al alba, si uno aguzaba los oídos, podía escuchar las flautas apagadas, lentas, ondulantes, cuya música se sumaba al rumor del agua y a la voz de la brisa que cantaba en las palmeras. Mujeres hermosas, coronadas de flores, se bañaban en el río. Después, los ácidos y combustibles líquidos que la destilería y las fábricas de la zona arrojaban al agua, alejaron a esos moradores extraños como espantaron a los pejerreyes. Un día, Simón y yo fuimos allá en bote y no encontramos a nadie: sólo sauces y ceibos y pájaros y una víbora que guardamos dentro de un frasco, en alcohol. ¡Qué maravillosa era la imaginación de Úrsula! ¿Dónde había aprendido esos cuentos, esas leyendas? Gracias a ella, nuestro modesto río se trocaba en otro Rin fabuloso, y entonces la destilería y "Los Miradores" y las fábricas y la estancia de Tía Duma que se erguía mucho más lejos, acaso en donde pescaba el gigante rodeado de mariposas, frente a la curva donde mi bisabuelo dió la batalla célebre y encadenó al río, se transformaban también en castillos y en monasterios y en ruinas ilustres, y, como en el Rin, las viñas se escalonaban en las riberas, y aquel era Stolzenfels, y aquel era Maüşerturn, y aquel era Godesburg, y las mujeres invisibles que se habían bañado alrededor de las islas tenían un prestigio casi wagneriano cuando braceaban, cubiertas de guirnaldas de ceibo, hacia el recodo tras el cual sin duda se ocultaba la peña de Loreley. A Úrsula le debo más que a Tío Baltasar y a sus libros, porque ella era quien animaba y coloraba mis lecturas con sus personajes, de suerte que, cuando yo era niño, completaba a los héroes librescos y los hacía vivir en el aire de su imaginación. Ella era quien ponía en marcha los secretos resortes; quien daba cuerda noche a noche —pues sólo de noche actuaba su mundo singular— al inmenso mecanismo misterioso de la fantasía. Para Úrsula todo, todo, vivía poéticamente y se complicaba con presencias inquietantes, lo mismo los mariscales de la Mesa del Emperador que montaban guardia, fieros como halcones y fastuosós como quetzales, en nuestra escalera, que las perdidas islas deshabitadas que ella poblaba de luminosas figuras. Y hasta que entré en la adolescencia, influído por las narraciones que tanto me habían fascinado y enriquecido, sentí por Don Giácomo, por el italiano atorrante, siempre borracho, que pregonaba nuestros jazmines en el atrio de la iglesia a pesar de las protestas de

Basilio y de Nicolasa, un fervoroso respeto, porque él procedía del mundo que existe y que no se ve y que bulle detrás de las cosas, detrás de la fachada de las cosas, en lo hondo de su enigma, y tal vez podía hacer lo que a nosotros nos estaba vedado, como dialogar con Santa Gertrudis de Nivelle y con el mago San Baltasar, en el esplendor de los vidrios de San Damián, o descubrir, enredadas entre las ramas de los sauces de la costa, a las mujeres impalpables que seguían nadando en las estelas de los barcos, de los yates y de los botes del Club de Regatas, nadando y cantando su saga taciturna, y llorando porque mi abuelo les había vendido las islas verdes para pagar sus deudas de póker.

Guareciéndose como podía de la cortina de lluvia que lo azotaba al capricho del viento, el atorrante llegó hasta el invernáculo y se detuvo allí, espiando hacia el interior a través de las rotas persianas. Una débil claridad nacía del esqueleto del monstruo. Me intrigó esa luz. ¿Quién andaría allá tan tarde, en una noche tan siniestra? Fuera de la reducida zona que protegía el cobertizo, debía llover en el invernadero en todas partes. ¿Estaría Tío Baltasar con su querida? ¿Sería capaz de estar con ella en el mínimo refugio del tinglado? Y si era así, ¿qué hacían? ¿Qué hacían ellos cuando estaban solos? La curiosidad pudo más que la prudencia. Esa tarde me había negado a escuchar a la mujer, cuando tal vez se aprestaba a revelarme su secreto. Me repugnó ser su cómplice. Pero ahora quizás se me brindaba la oportunidad de enterarme por mis propios ojos... Me puse el capote, bajé la escalera de puntillas, salí a la noche cruel y, dando un rodeo para que no me descubriera Don Giácomo, alcancé al invernáculo por el lado opuesto, el lado de la barranca. El agua que me fustigaba, impetuosa, me obligó a cerrar los párpados. Los truenos prolongaron su batalla en las nubes. Sacudíanse, como seres encadenados, como esclavos flexibles de largo pelo, los árboles.

Me costó ver lo que adentro sucedía, pues no había más luz que la de la lámpara de kerosene, y ésta se hallaba en el cobertizo. La lluvia entraba por la armazón despojada del techo; esmaltaba los filodendros y las "garras de león", estupendamente jóvenes y verdes; lavaba las estatuas; brincaba de plato en plato, entre las figuras de estaño de la fuente, como si la fuente fuera joven también. Había en el suelo grandes charcos. Todo resplandecía, alumbrado, cuando no por el tenue fulgor de la lámpara, por los relámpagos que irrumpían, vibrantes, en el escenario que yo conocía tan bien y que ahora me ofrecía una nueva faz, fúlgido, lleno de temblorosas presencias, porque las ramas de los árboles que colgaban hacía el interior como lianas, se movían; se movían las enredaderas y las anchas hojas; y el repentino juego de sombras y luces hacía que se balancearan las estatuas en la solemnidad de sus actitudes teatrales.

Me corrí más allá, hacia el extremo, hacia la parte de la gruta de ladrillos, pues no conseguía abarcar el tinglado donde seguramente estarían Tío Baltasar y la mujer. Pero no. Tío Baltasar estaba solo y al parecer muy ocupado. Yo no distinguía bien qué hacía. Lo veía agitarse en torno de la mesa. ¿Andaría reuniendo sus manuscritos, poniéndolos a salvo, ya que tal vez habrían quedado allí cuando se desató la lluvia?

Ahogué un grito. No. Lo que Tío Baltasar hacía era exactamente lo contrario. Tío Baltasar empujaba penosamente la gran mesa con cuanto contenía, hacia afuera.

La sacaba del abrigo del tinglado hacia adelante, para que sobre ella cayera el diluvio.

En el primer instante sentí el impulso de entrar, para defender su trabajo y el mío, pero me retuve. Pronto, la pesada mesa salió del refugio. No hubo ya techo que la amparara, y el agua arremetió contra los libros, contra las resmas de papel, contra los blocs que encerraban mi copia, contra los atados paquetes que envolvían el trabajo de Tío Baltasar. Se apagó la lámpara y ya no conté más que con los relámpagos para reconstruir, como en un álbum de fotografías increíbles, las etapas del proceso devastador. El agua se volcó a chorros sobre la máquina de escribir, sobre los diccionarios y los tomos de la Édition Nationale, sobre los centenares de páginas. Dentro de poco, aquella masa de papel se habría convertido en una pulpa inservible, repugnante. Detrás, echado en el sillón, como hipnotizado, Tío Baltasar asistía a la destrucción de su obra inmensa.

Lo oí a Don Giácomo que escapaba a la cochera, saltando, bailando entre las higueras y las viñas, sin comprender seguramente que había sido testigo de una escena terrible. La lluvia me calaba, me corría por la cara y por las manos, se me escurría en el cuerpo por el cuello de mi impermeable, así que yo huí también hacia mi dormitorio. Media hora más tarde, el crujido de la escalera me indicó que mi tío había vuelto a su habitación.

Permanecí de pie largamente, tras mis persianas, mirando al invernáculo en cuyo seno proseguía el voluntario aniquilamiento. ¿Qué había sucedido? ¿Se había dado cuenta Tío Baltasar, a punto de finalizar su tarea, de que ésta no respondía a sus aspiraciones, de que su traducción de Hugo era pobre, prosaica, indigna del modelo? ¿Temió enfrentarse con la realidad, concretada en la persona del editor, de los lectores, de los críticos? ¿Desbarató así la probabilidad humillante de que le certificaran que su obra —y en consecuencia su vida— había sido inútil? ¿Fué su orgullo, su diabólico orgullo, el que lo impulsó a proceder así, locamente? ¿Estaría loco, como aseguraba su amante? ¿Prefirió que su tarea colosal se transformara en algo legendario y por eso mismo maravilloso, algo a lo cual aludirían las siguientes generaciones de nuestra familia como a una quimera colosal? ¿Y el viaje? ¿Calculó que por ese medio el viaje no se podría llevar a cabo, pues su enorme libro inútil —si llegaba a publicarse— dormiría en los sótanos de las librerías, desdeñado, polvoriento? Hasta entonces había vivido como en un sueño, bajo el palio triunfal de Victor Hugo que proyectaba sobre él su dorada irradiación. Ahora había que salir a la calle, encararse con la realidad, correr el riesgo de la burla, de la incomprensión, como la mesa imperial; había que dejar de ser, posiblemente, el poeta, el sabio, el erudito, el refinado, para cambiarse en quién sabe qué, en un infeliz, en un mediocre con diploma de mediocre. El orgullo, el exorbitante orgullo de Tío Baltasar, su orgullo de loco, ¿habría podido más que el amor que le inspiró su obra, menos que su indecisión, que su timidez? ¿O sería su propio sentido crítico el que le fué descubriendo, mientras se releía, las flaquezas de su trabajo, su impotencia para estar a la altura del fin que persiguió y del personaje que fué elaborando a medida que escribía? Yo lo había visto arrojar al suelo, en un rapto de cólera, mis copias y los libros de Hugo. . .

¡Qué espanto! ¡Qué desconsoladora esterilidad!, y ¡qué

tristeza la de ese suicidio, la de esa vida arruinada, desintegrada por la lluvia que la reducía a una pulpa irreconocible, como si lo que quedaba en el invernáculo, encima de la mesa, corrompido, fuera el cadáver de Tío Baltasar, y todo el invernáculo se hubiera metamorfoseado durante la noche en una gigantesca tumba abandonada, en el sepulcro de un poeta muerto hacía mucho tiempo, de quien nadie se acordaba ya, y cuyos restos yacían, profanados, entre las inválidas esculturas alegóricas y las plantas viejas que crecían, voraces, en torno del abierto ataúd! ¡Ay! Esas imágenes románticas, lúgubres, condecían con el espíritu de Hugo... Quizás a Tío Baltasar le hubiera gustado escucharlas. Quizás su vanidad incorregible se hubiera esponjado al oírlas. Pero yo, como tantas veces, debía guardar silencio, debía callar el secreto que se agregaba a los otros, y cuya esencia total —como la de los otros— se me escapaba...

A la mañana siguiente se desarrollaron las escenas previsibles. Tío Baltasar estuvo digno, lejano, en medio de la desesperación de sus parientes. Como era de esperar, nadie se enteró de la verdad de lo ocurrido. Tío Baltasar dijo que su distracción tenía la culpa del daño irreparable, pues no había depositado los manuscritos en el anaquel del tinglado, como todas las noches antes de irse a acostar. Se había perdido la obra entera y era imposible aspirar a reconstruirla. La perspectiva del viaje se esfumaba de nuevo, acaso para siempre. Lo vi llorar a Tío Fermín, con la frente apoyada en uno de sus baúles. Tía Gertrudis, la amazona, la atea, maldijo al destino que se ensañaba con ellos. Tío Baltasar rehuyó mi mirada. Advirtió que mi dolor no se correspondía con las circunstancias tremendas. ¿Habrá pensado que mi deseo de no partir, de quedarme en el pueblo junto a Berenice, era tan hondo que tal vez me alegraba de la desaparición de su obra? ¿Habrá pensado que yo conocía la ubicación exacta de la mesa y que pude adivinar la maniobra que acarreó la ruina de su trabajo? Los días transcurrieron en una atmósfera dramática. Llegaron de Buenos Aires, en azules papeles franceses, las cartas desconsoladas de Tío Sebastián, de Tía Clara, de Tía Duma, avisados por Tía Gertrudis; la carta, sobria como una tarjeta de pésame, de Tía Ema...

Y "Los Miradores" detuvieron su marcha en el medio del océano; arriaron el pendón de Victor Hugo y esperaron sin esperanza, mientras Tío Baltasar, su capitán insensato, recorría los puentes, golpeaba con su mano de madera los muebles y los objetos, no sé si aliviado o arrepentido, y se asomaba a las ventanas del piso alto para atisbar la destilería de petróleo, que no cesaba de rugir, y las islas encantadas, todo lo que se había desvanecido en el pasado de la dinastía, como su obra. Parecía un fantasma, un muerto, más muerto y fantasmal que el busto del Dr. del Valle. Estaba muerto, muerto en su tumba del invernáculo. Me observaba con ojos de muerto, inexpresivos, cuando se cruzaba conmigo en las escaleras, en ese caserón cuyos moradores hablaban en voz baja y sofocaban detrás de las puertas los llantos y los reproches, y entonces sonreía un poco, borrosamente, sin que se pudiera saber si sonreía o no, casi como Berenice, cuya sonrisa comenzaba siendo tan melancólica.

IX

La destrucción del trabajo de Tío Baltasar no modificó el ritmo de la vida en "Los Miradores". El recuerdo de esa ruina proyectaba sobre la casa, claro está, una gran sombra, cuyo origen se explicaba de manera distinta para mis tías y para mí, pero como mi familia se había impuesto la resolución sobreentendida, para no agravar la pena de Tío Baltasar, de no mencionar la desgracia, la vida siguió andando con la cadencia monocorde de siempre. Tío Baltasar adoptó una actitud digna, severa, como si su infortunio fuera un manto y se hubiera arropado en él. Eso ensanchaba la distancia inmaterial que lo separaba de nosotros, y evitaba que se tocara un tema —el del exterminio de sus manuscritos— que debía incomodarlo especialmente, por causas que sólo yo conocía, al obligarlo a prolongar el altanero cinismo de sus respuestas, al mismo tiempo que brindó a su sentido del teatro y a la exaltación de su propia personalidad que en todo tiempo lo había inspirado, la posibilidad de nuevas expresiones. Representaba el papel de "el tenebroso, el viudo, el sin consuelo", del despojado de su obra, desheredado por culpa del destino, lo que acentuó la compostura de sus gestos y la lentitud grandiosa de sus ademanes. ¡Qué actor era mi tío, qué romántico actor anticuado que sólo para nosotros —y para sí mismo— daba funciones, interpretando el mudo papel de un artista acosado por la suerte, cuando caminaba por el borde de la barranca con los brazos cruzados, y quedaba con los ojos perdidos en la lejanía fluvial, porque las circunstancias le habían robado el tesoro cincelado por su inteligencia!

Ahora, en lugar de escribir, leía mucho. Se sentaba en el invernáculo, del cual se había quitado hasta el medallón de Hugo para que nada le recordara la dolorosa aventura, y, puesto el libro en un atril, leía en voz baja, como un monje, destacando las palabras, las novelas de Flaubert. A veces miraba al techo, donde las ramas intrusas pendían hacia nuestra verdosa media luz como si estuviéramos en una subterránea caverna y lo que allá arriba colgaba fueran las raíces de los árboles crecidos en la superficie. De tanto en tanto suspiraba. Esos suspiros, que nada tenían que ver, probablemente, ni con Madame Bovary ni con Salammbô, me estaban dedicados a mí que, independizado de la máquina y de las copias, leía también, desordenadamente, a Lecomte de Lisle, a La Bruyère, a Jean-Jacques o a Villiers de L'Isle-Adam y, porque eso tampoco había cambiado, y la idea del viaje, postergada pero presente, seguía acompañándonos en nuestra accidentada ruta, el catálogo del Museo Cernuschi o la descripción del castillo de Amboise. Tía Elisa y Tío Fermín, transformados en dos tanagras llorosas, se deslizaban por el jardín y por los cuartos, en el suave rumor de sus "robes de chambre", evitando encontrarse con el traductor compungido cuya tristeza compartían en silencio.

Yo iba cada vez más a lo de Angioletti, puesto que la supresión casi total de obligaciones me dejaba mucho tiempo libre. El músico alternaba a Chopin con Bach en el piano. Su conocimiento de este último era incomparablemente menor, pero, para hacérmelo conocer, lo estudiaba. Después de Rimbaud, de Baudelaire y de Rilke, Juan-Sebastián Bach fué la contribución más trascendente de César Angioletti a mi formación espiritual. Mi progreso poético ganó, merced a él, en el sentido de la construcción. Dentro de mí se fueron armando, borrosos, mis poemas futuros, los que escribiría años después, ansiando ajustarme a las enseñanzas del maestro de Eisenach. "Sus obras —me decía Angioletti repitiendo a menudo una frase de una carta de Chopin a Dauphine Potocka— han sido edificadas como si fueran figuras geométricas; todo en ellas está en su lugar y ni siquiera tienen una línea de más." Figuras geométricas, exactas, puras, así hubiera querido yo, con entusiasmo iluso, que fueran mis versos, casi esqueléticos, descarnados. Lo pensaba mientras Angioletti desarrollaba ante mí el equilibrado dibujo de las líneas melódicas, cuyas variaciones se enriquecían en los sucesivos enlaces, como las tragedias de Racine en el contrapunto de las escenas sucesivas, a medida que perseguíamos en el piano la marcha de las fugas. Y eso me mostraba la dificultad y la belleza de la vida que me aguardaba si aspiraba a ser fiel a un modelo —a una serie de modelos, pues no olvido a los poetas cuyo conocimiento le debía también— cuya rigurosa austeridad contrastaba con el aparatoso vacío que caracterizaba a Tío Baltasar, quien oponía a esa concepción la de un lirismo desmadejado, la de un altisonante barullo victorhuguesco filtrado por el colador fatal de la retórica más pirotécnicamente sudamericana.

De tarde, a través de las ventanas de la sala de música que abrían a la plaza, veía pasar, caballeros en Zeppo y en Mora, a Tío Baltasar y a Tía Gertrudis. Su presencia enorgullecía la vulgaridad pueblerina con un resabio de antiguas noblezas. Don Fulvio me los señalaba y decía:

—¡Qué raza, qué espléndida raza! —refiriéndose a un tiempo a mis tíos y a sus caballos, pues unos y otros poseían, en sumo grado, aquella elegancia física que no se logra con lecciones y que podía conmover más que nada al viejo carrocero.

Y era verdad que eso —tan remoto y tan misterioso— que la raza significa, seguía intacto en mis tíos, a pesar de las privaciones, tal vez afinado por ellas y por el altivo descontento que les otorgaba una excelencia especial y que cuando pasaban, ecuestres, frente al busto patriarcal de su abuelo, refluía sobre la chatura de la plaza y sobre la monotonía de sus palmeras, realzando al paisaje con alusiones a un mundo hermoso y perdido, en el que los hombres, las mujeres y los caballos erguían las cabezas y acordaban los gestos, desde el levantarse de las patas nerviosas y el ondular lujoso de las crines doradas hasta el apretar de las riendas en las manos y el pegar de los brazos al cuerpo, ciñendo esas complementarias actitudes a una armonía plástica tan perfecta, en su creación y desarrollo, como la elaboración de cada uno de los trozos en el tono de Re Menor que ilustran la sabiduría de Bach. Sí, yo, que sabía mejor que nadie cuáles eran sus debilidades y defectos, no podía dejar de admirar la línea musical que componían y cuya calidad era tan evidente que aun los muchachos que jugaban a los dados y al billar en el club, y que siempre estaban prontos a burlarse de lo que los inquietaba por "distinto", suspendían un instante las partidas para verlos pasar y, como Don Fulvio, aunque los habían visto cien veces, comentaban el estilo de sus figuras, tan logradas que ni siquiera el más envidiosamente malhumorado hubiera conseguido mofarse de ellas, de su anacrónico señorío, refunfuñando que lo hacían "para darse corte", porque los demás jugadores, que comprendían que con esa apreciación patentizaban su propio sentido de la elegancia y del refinamiento y que, después de todo, al hablar así demostraban que eran algo más que unos muchachones obligados por las circunstancias enemigas a vegetar en el pueblo, lo hubieran hecho callar gritándole que no fuera pavo.

Mientras yo continuaba, a espaldas de Tío Baltasar, mi aprendizaje musical y poético, guiado por un hombre tímido y sensible que me alentaba y que pensaba tal vez que al proceder de ese modo, al transmitir a otro sus conocimientos (con lo cual quizá se salvaría su esencia), podría redimir en parte el fracaso de su vida opaca, enclaustrada por su amor en la pequeñez del pueblo, mis tíos seguían su cabalgata hacia las afueras, donde avanzaba la construcción del Asilo Santa Gertrudis, costeado por Tía Ema.

Era un edificio muy amplio, cuya erección había comenzado hacía por lo menos ocho años, y se suspendió dos veces, pues su costo crecía de continuo a causa de los agregados que se le ocurrían a la donante, a los ingenieros y a las franciscanas que tendrían a su cargo la dirección, pero ahora Tía Ema había resuelto terminarlo, ya que lo conceptuaba a justo título como su obra benéfica más importante. Era también —por esta última razón y me parece obvio subrayarlo— la que a nosotros nos desheredaría más sustancialmente.

Tía Ema le había pedido por carta a Tía Gertrudis (puntualizando una vez más con ello la desconfianza que le inspiraba Tío Baltasar) que vigilara los trabajos. Por eso Tío Baltasar —que no se dió por aludido— y Tía Gertrudis extendían diariamente su cabalgata hasta el vasto solar arbolado en el cual se levantaban los pabellones. Les encantaba su inocua tarea, que aumentaba su prestigio ante el despechado Basilio, y pronto llegaron a convencerse de que Santa Gertrudis —el asilo se llamaba así en recuerdo de mi bisabuela— era una obra suya, pues discutían los planos de detalle con los capataces y constructores (dentro de los límites estrictos que no podían incidir sobre nada esencial), como si fueran ellos quienes pagaban las cuentas, o por lo menos como si pudieran influir sobre el ánimo de su tía para auspiciar modificaciones. Y algunos capataces poco informados de la posición de esos señores byronianos que aparecían a caballo, magníficos, con sus perros, difundieron entre el personal la idea de que los jinetes inspectores eran los auténticos amos, lo cual, aunque los ingenieros dieron después una versión ajustada a la realidad, no sólo distinta sino opuesta, quedaba flotando en el aire y reclutaba ingenuos adherentes.

Una vez, cuando faltaba poco para concluir los trabajos, los acompañé hasta allí. Entonces visité la cripta ya terminada en la que se depositarían los restos de Don Damián y de su mujer, y cuando la llamara Nuestro Señor —bastante distraído, pues Tía Ema contaba ya ochenta y seis años—, donde también se daría sepultura a la generosa donante. Era un inmenso salón fastuoso, redondo, de mármol blanco y gris, al cual se tenía acceso por una escalera de movimiento grácil que desembocaba en una especie de "hall" de casa de departamentos de lujo. El sepulcro-capilla, armonizando con el concepto de casa-habitación, de departamento paquete, que desde la escalera se insinuaba en el espíritu sorprendido de quien lo visitaba, hacía pensar en un gran comedor, en un escenario de banquetes de fin de siglo, porque las tumbas de mis bisabuelos, ubicadas la una frente a la otra, adosadas a la pared, coronadas de sendos vasos con guirnaldas, y ejecutadas con toda suerte de mármoles multicolores —los mármoles que traen a la mente el esplendor de las fiambrerías, el jamón, el salame y el tocino— parecían dos majestuosas alacenas más o menos Luis XIV, mientras que la que algún día ocuparía involuntariamente mi tía abuela, más pequeña y situada en el medio de esos dos muebles escalofriantes y sin embargo tan mundanos, evocaba la idea de un trinchante. Completaban el ornamento de ese comedor para ágapes cortesanos y fúnebres (el que sólo necesitaba, bajo la araña de múltiples caireles, la mesa central tendida con la vajilla de "vermeil" de Tía Ema, a fin de que mi tía y sus padres prolongaran ultraterrenamente, en ese hipogeo para festines, la vida que habían llevado más acá del Aqueronte), dos docenas de sillas alineadas a lo largo de los muros, y los dorados reclinatorios que se hubieran tomado por sillones, de modo que lo único que resultaba fuera de lugar en el ambiente era el altar frontero, sobre el cual la policromada Santa Gertrudis de Nivelle, que era tan bonita, tan joven y de tan buena familia, como hija del Intendente de Palacio del rey de Austrasia, recogía con dos dedos su pulcro manto abacial, como si se aprestara a descender las gradas, entre los "vitraux" pintados con el blasón de la torre en llamas y con los símbolos franciscanos, para sentarse a la mesa ausente, a la derecha de Don Damián, el fundador.

La inauguración del asilo se realizaría el próximo mes de abril. Mucho antes, en diciembre, Berenice regresó al pueblo. A pesar de nuestros cortos años, ella y yo podíamos considerarnos novios. César Angioletti, cuyo cariño por mí era evidente, miraba con buenos ojos ese vínculo;

a su suegro, que había relegado en permanente olvido la memoria de mi padre, del prestidigitador polaco, lo halagaba la perspectiva de la alianza; y su esposa, como siempre, se limitaba a ser plácidamente bella y a no opinar, y probablemente sonreía ante la posibilidad de nuestro remoto matrimonio como sonreía cuando le preguntaban qué quería para el almuerzo o cuando le contaban que Doña Carlota, la tendera, se había teñido el pelo de rojo.

En marzo me fuí a Buenos Aires, a la pensión de las señoritas de Mendoza, en la calle Uruguay. Me había inscripto en la Facultad de Filosofía y Letras y, no bien se iniciaron, comencé a asistir a los cursos. A Berenice la encontraba los domingos, con otras chicas y muchachos, en casa de una amiga común. Nuestro amor nos mantenía aparte del grupo, como si nos iluminara una luz especial. Nos dejaban solos. Éramos felices. ¡Qué felices, qué fugazmente felices fuimos entonces! Aquella dosis de felicidad, tan dulce y tan pasajera, me nutre todavía, me ayuda a vivir, a escribir, en este hotel desde el cual no avisto más que ruinas y sombras.

Pero pronto ella y yo volvimos al pueblo, aprovechando una vacación que coincidía con la inauguración del asilo.

Tío Baltasar había tratado de oponerse a mi partida, arguyendo que no aprendería nada en la Facultad y que sería más útil para mi porvenir que siguiera a su lado. También proyectó trasladarse a Buenos Aires, pero ni sus medios se lo permitían ni sus hermanas le hubieran dejado que lo hiciera. Ahora ellas podían más que él, hasta la pálida Tía Elisa. Tío Baltasar se había avejentado y ablandado. A mi vuelta, luego de un mes de ausencia

—en el curso del cual mi tío me envió, día por medio, unas cartas ociosas, llenas de consejos, de sarcasmos, de párrafos líricos y de alusiones veladas o rotundas a la futilidad de las materias universitarias (*"para lo único que te servirán será para olvidarte de lo que has aprendido junto a mí"*): unas cartas a las cuales, a pesar de sus quejas, yo no respondía siempre —me impresionó el cambio que se iba operando en el hermano de mi madre. Indudablemente, esa mudanza había comenzado a producirse antes, y yo había advertido, en el andar de los dos o tres años últimos, sus rasgos salientes, pero la perspectiva de ese mes de separación me ayudó a valorar el rigor de la obra del tiempo y de las desilusiones. Cada vez más delgado y distante, cada vez más fino también, se habían acentuado en su rostro las líneas que lo hacían parecerse a Tío Fermín. Estaba muy nervioso. Quizás ello se debiera no sólo a la intencional anonadación de su trabajo inaudito, y al disgusto que le había causado mi alejamiento —yo era su compañero desde mi infancia—, sino a la revolución que para "Los Miradores" implicaban las inminentes ceremonias del asilo, las cuales, como toda liturgia relacionada oficialmente con el brillo de los suyos, preocupaban en alto grado a su espíritu minucioso, quisquilloso, a su actitud de creyente en la eficacia de los ritos que mantenían con su lazo de orgullo la unión de la familia de la torre en llamas, robustecida solidariamente, como por espaciadas confirmaciones colectivas, por solemnidades de otro tipo —desde los bailes hasta los casamientos, desde las colocaciones de placas en los cementerios y en las estatuas, hasta los velorios, desde los préstamos de objetos históricos y artísticos para las grandes exposiciones, o los triunfos en los certámenes rurales y en los hipódromos con toros y caballos adictos a la gloria de la casa, hasta (como en este caso) las inauguraciones de obras benéficas debidas a un miembro del clan—: solemnidades a las que a menudo se diría que no lo invitaban, pero él se defendía de la humillante conjetura de una defección por parte de los suyos, y de la inconcebible posibilidad revolucionaria de que lo tuvieran en menos, señalando con cualquier motivo —para dar la impresión, al contrario, de que él era el "difícil"— que vivía apartado del "tralalá", confinado en su campanil intelectual en el cual muy pocos penetraban, y recordando también, con una naturalidad que creía insospechable, que el correo pierde mucha correspondencia.

La inauguración sería a las once. Nos tocó un día desapacible, en que el otoño insistía en su afán de ser invierno. Las hojas amarillas caían lentamente en el parque descuidado, bajo el cielo gris. Sobre la armazón medio oriental y medio gótica del invernáculo, en la que los hierros entrelazaban sus arcos y sus columnas, las cortinas de madera temblequeaban. Mis tías protestaron por la inclemencia del tiempo, pero Tío Baltasar les dijo que los días lúgubres son los más hermosos, los que confieren al paisaje más nobleza, y Tío Fermín ("El Caballero de la mano al pecho", con treinta años más y un "chic" indiscutible) le dió la razón. Tío Fermín se afanaba por que la paz reinara en "Los Miradores", inquietos por mi deserción y por la catástrofe de los manuscritos de Tío Baltasar. Había renunciado al viaje y tal vez se creía, al final de su vida, algo apóstol —pues no por nada tenía bruscas iluminaciones de vidente—, pero un apóstol mudo, tartamudo, que suplía la prédica con la externa actitud bondadosa y decorativa, que todo lo reducía a extender las manos admirables, como un hidalgo santo de la escuela española, y a aplacar.

Llegaron muy temprano, en el tren de las ocho, los mucamos, el cocinero y los pinches, mandados por Tía Ema para que secundaran a mis tías, a Basilio y a Nicolasa en la preparación de la fiesta de la tarde, porque los diarios habían anunciado que la octogenaria asistiría a los actos y que, a partir de las seis, los que quisieran podrían saludar en "Los Miradores" a la hija del fundador del pueblo.

A las diez, con los ojos endurecidos por el madrugón y por la fatiga del viaje, comenzaron a aparecer, en sus automóviles, los parientes. Tía Ema se presentó a las diez y media. Era, en verdad, espectacularmente vieja. Muy pequeñita, muy pálida, muy fría, esquivando lo que sonara a familiaridad, llevaba un abrigo de pieles negras y un sombrero negro también —que no se quitó nunca, ni durante el almuerzo, ni durante la recepción que tuvo lugar en su casa—, un sombrero que era una especie de diminuta rosca de Pascua, con una imprevista ala de Walkyria de luto, levantada agresivamente a un costado. Tan imponente resultaba su ancianidad, que a su lado sus primas Clara y Duma parecían jóvenes. Pero eran viejas. Lo eran por lo menos para mí que, de pie en la galería, las vi descender de sus automóviles relampagueantes, cuyas portezuelas abría Basilio, de librea, y avanzar, envueltas en sus visones y en sus cibelinas —a Tía Clara, enormemente gorda, a Tía Duma, con su turbante verde, apoyada en el Príncipe Brandini que se había levantado el cuello de astracán—, porque para mí venían precedidas por lustros y lustros de anécdotas que multiplicaban su edad. Y así fueron llegando, los jóvenes y los caducos: Tío Nicolás, que presumía de dandismo con un gabán forrado de nutrias; su yerno, el Marqués de Saint-Luc, el francés; Gustavo y María Luisa —la rama de Clara—, tan hermosos ambos, tan aristocráticos; y el cortejo de Tía Duma: su hermano Sebastián, sus sobrinas pobres, Estefanía, Leonor, Trinidad —las que copiaban el tapiz de Bayeux—, y su sobrino nieto, Gustavo (el otro Gustavo), el que dedicó su vida a comentar "Los Ídolos" de Lucio Sansilvestre. Venían enfundados en sobretodos y en pieles distintas, y detrás los choferes recogían, como si deshicieran unos fastuosos lechos portátiles, las mantas con las cuales habían protegido sus piernas, de modo que desde mi puesto se me ocurrió, mientras ellos se adelantaban, entumecidos, en la bruma y en el oro de la mañana otoñal, que esos hombres uniformados que guiaban los vehículos habían traído hasta el jardín una serie de jaulas lustrosas, de cuyo interior bajaban unas grandes fieras, unos osos negros y grises (y había entre ellos un leopardo: Mme. de Saint-Luc) que, vigilados por sus domadores, se abrazaban y se besaban y se apuraban a entrar en la casa con torpes movimientos, y rodeaban a Tía Ema, que era un frágil y rebelde animal mítico (¿pero acaso no lo eran todos?), mitad zorro y mitad cuervo, y que pronunciaba sus nombres uno a uno, cuando la saludaban, como si no los viera cotidianamente y cumpliera un verdadero "tour de force" al dar esa lección, al reconocerlos y al probar así que todavía no estaba lele. Mis tíos y yo participamos de ese entrevero circense, y todos, a medida que se despojaban de sus abrigos y se humanizaban extrañamente, extremaron su amabilidad con nosotros, con los ermitaños, porque venían de un mundo disparatadamente diverso, y constituíamos para ellos, aun siendo los más allegados por la sangre a Tía Ema, una novedad, y quizás pensaban que, puesto que partirían dentro de unas horas, no arriesgaban nada con ser afectuosos y —estando entre ellos, en el secreto del clan— con certificar que éramos sus parientes.

Pero no pudieron permanecer en la quinta, porque el obispo que la había acompañado a Tía Ema en su automóvil, semidormidos los dos, insistió con firme diplomacia para que se apurara la ceremonia: Buenos Aires quedaba en las antípodas y no había más remedio que regresar. De modo que nos trasladamos al asilo, donde el intendente declamó un discurso y una monja leyó otro, y donde la familia se extasió ante la cripta —con excepción, quizás, de Gustavo (chico)—, con un tono tan cálido y entusiasta que casi llegó a decir que sus antepasados estaban más cómodos en sus alacenas esculpidas que ellos en sus transitados salones porteños (a pesar de que a cada instante repetían como un estribillo: "¡Pobre Papá Damián! ¡Pobre Mamá Gertrudis!"), y que en realidad no entiendo cómo Tía Ema no se dejó tentar por los elogios y por el entusiasmo aparente con que sus primas tocaban los mármoles, murmurando todo el tiempo oraciones o cumplimientos, y no sé cómo no se decidió a instalarse en su trinchante mortuorio para siempre.

Si hubiéramos vivido en una época más bárbara o más lógica, el almuerzo se hubiera servido en el sepulcro-comedor, pero las costumbres actuales quisieron que lo hicieran en el enorme comedor de "Los Miradores". Entonces la quinta revivió brevemente sus días de oro, porque las vajillas de mi bisabuelo tornaron a decorar la mesa frente a la chimenea de los cuatro escudos, y el tan mentado juego de platos que Don Damián había hecho fabricar en Sèvres y que reproducía, en su centro, en miniaturas finas como las de la Mesa del Emperador, las efigies de las "dames de coeur", de las "cocottes" más famosas del Segundo Imperio —Blanche d'Antigny, Cora Pearl, Anna Deslion, Valtesse de la Bigne, Rigolboche— desfilaron bajo los ojos impasibles del obispo que nos había bendecido al sentarnos.

Después del almuerzo, los huéspedes visitaron la casa, con una impresión similar, se me ocurre, a la de los actuales Borbones cuando van a Versalles en el horario para turistas. A unos les gustó y a otros no, pero coincidieron, unánimes, en que se trataba de un documento rarísimo, cosa que Tía Ema, ante el asombro de mis tíos y el mío propio, acogió con murmullos escépticos. Ante la Mesa del Emperador sólo Tía Duma —introductora penitente de Monsieur de Levinson— y nosotros —dueños de su corrosivo secreto— guardamos silencio, porque los demás, que seguían por falta de informaciones frescas en la posición tradicional, rompieron en exclamaciones laudatorias, bastante sorprendidos de que éstas no provocaran eco alguno, pero ni siquiera Tío Baltasar, anulado por la presencia de Tía Duma, se atrevió a tanto.

Felizmente, Gustavo I y María Luisa (el hijo y la nuera de Tía Clara) habían tenido la prudencia de aprovisionar a su automóvil con paquetes de naipes, pues sin ellos no sé cómo hubieran ocupado su tiempo los huéspedes hasta la recepción. Armaron dos mesas en el billar y se pusieron a jugar al "bridge". Tía Ema y Tía Clara, fatigadas por el viaje, durmieron una larga siesta en nuestras habitaciones, sin aguardar la partida del prelado. Éste conversó un rato, en italiano, con el Príncipe Brandini y con Tío Sebastián, y luego se despidió. Tía Gertrudis, Tío Baltasar y Gustavo II emprendieron una caminata por los senderos de la quinta. A veces los veíamos pasar a través de las ventanas. "Los Miradores", como un reloj de época detenido durante mucho tiempo, volvió a funcionar, con todos sus péndulos, campanas y figuras, con voces que decían: *"cuatro trèfles"*, *"cuatro carreaux"*, *"doblo"*; y voces que decían: *"Vostra Eccellenza ha conosciuto il Cardinale Mercier?"* El aire mismo, en los aposentos, parecía haber cambiado. Circulaba, ligero, entre las cortinas y las torneadas consolas.

Tía Duma había rehusado intervenir en el "bridge". Se estiró junto a la chimenea de la sala, en un diván, y permaneció allí, soñadora, como un objeto más entre las curiosidades del siglo XIX que vestían el cuarto. Abrió un libro que había quedado sobre la mesa vecina desde la muerte de Don Damián, como olvidado por la Parca que veló su último sueño —un ejemplar de "Pêcheur d'Íslande", que probablemente, y por no atenernos a la anterior versión macabra, había sido llevado allí por alguna de las francesas que visitaban a mi bisabuelo— y se dedicó a hojearlo con lento abandono. Alzó los ojos azules y me divisó. Entonces se animó como si, a semejanza de "Los Miradores" hipnotizados, hubiera recobrado el dominio de sus facultades. Recogió las piernas que seguían siendo hermosas y me llamó para que me sentara a su lado en el canapé.

—Tienes una cara muy interesante, Miguel —opinó—; pareces un extranjero.

Luego recordó mi origen (ese origen que los de "Los Miradores" se empeñaban en relegar), y agregó con su timbre grave:

—Es la sangre polaca, "le charme polonais". Wenceslas von Lichtenstein, que era muy agudo, me dijo en un baile de la embajada de España, en Berlín, hace muchos, muchos años, hablando del físico de los hombres, de lo que significa la hermosura física en los hombres...

Pero nunca pude saber lo que Wenceslas von Lichtenstein pensaba del físico masculino, porque Tía Duma me repitió en alemán su frase, que era larga y seguramente ingeniosa, destacando las sílabas, y no conozco ni una palabra de ese idioma.

Mientras ella me hablaba, recostada en el diván, con el rostro pintado como si fuera el retrato de sí misma, un rostro al que el resplandor de la chimenea añadía una vibración entre seductora y lúgubre, sobre la cual triunfaban, radiantes, sus ojos vueltos por encima de los años hacia los candelabros y los tapices de la embajada española en Berlín, hacia la felicidad, hacia la juventud, me acordé de que Tío Baltasar me había contado que en una oportunidad había asistido en el palco de Tía Duma a la representación de "Norma". Debió de ser la única vez que fué invitado al "avant-scène", porque la mentó en varias ocasiones, adoptando siempre un aire desentendido, como si se tratara de algo corriente. Y yo no podía separar la imagen de mi parienta, que ahora me sonreía como un personaje de Leonardo para recoger la impresión que había causado en mí la trase de Wenceslas von Lichtenstein; no podía separarla del recuerdo de esa ópera de Bellini que he visto también. La imaginaba a Tía Duma en el chisporroteo de su palco del Teatro Colón, semioculta por el gran abanico de plumas blancas, en medio de los admiradores que la rodeaban y entre los cuales se hallaban el Príncipe Brandini, Tío Baltasar y —¿por qué no?— ese imponente Wenceslas von Lichtenstein que explicaba en su lengua hermética en qué consiste la hermosura de los hombres. Y era tanta la importancia nacional del nombre de Duma, de su discutida biografía, de su séquito, de sus alhajas, de sus ojos azules, de su heredada nariz y de su orgullo monopolizador de agasajos, que en el momento en que los druidas, los sacerdotes, los sacrificadores y los bardos se adelantaban en torno de Norma, de la soprano coronada de verbena, para invocar a la luna, la veía a la prima de mi abuelo balancear su cabeza y su abanico al compás de la música, y saludar ligeramente, mientras el coro ascendía hacia la gloria del "avant-scène" celestial:

Casta Diva, che inargenti
Queste sacre antiche piante,
A noi volge il bel semblante
Senza nube e senza vel,

como si la invocación le fuera dirigida a ella, como si ella fuera la diosa de la luna, como si la luna fuera ese abanico que abría entre sus manos divinas, en las nubes apartadas de los cortinajes del palco, su nevado semicírculo lunar, para recibir el homenaje de Bellini y de los mortales de la platea terrestre.

Y tan distraído y alucinado estaba yo con esa imagen, que no me percaté de que la vieja señora me acariciaba una mano, quizás como se la podía acariciar a un niño, a un lejano sobrino nieto, pero también como podía acariciársela a un hombre que poseía —según su juicio— "le charme polonais". Por suerte en ese instante entró en la sala Marco-Antonio Brandini y conseguí escapar.

La recepción fué inolvidablemente abigarrada. Asistieron a ella las superioras del flamante asilo; una delegación de maestras y escolares del colegio de Tía Elisa; el intendente y los funcionarios de la municipalidad y de la policía; bomberos, boy-scouts y toda clase de gente del pueblo, que acudió atraída por la idea de que por fin se le ofrecía una oportunidad de recorrer los clausurados "Miradores"; de ver de cerca a la hija del fundador, notable reliquia; y de comer y beber gratis. Aparecieron, en la llovizna, grupos de paisanos a caballo, que desmontaban frente al corredor, se desembarazaban de los empapados ponchos, duros como si fueran de cartón, y surgían, metamorfoseados, en el brillo de las espuelas, los facones y las rastras, con unas fisonomías casi árabes y unos silencios señoriales y retobados.

Tía Ema se había situado en el "hall" de robustas columnas, en un sillón con trazas de trono. La primera en aproximarse a saludarla, con un ramo de flores apretado en la mano, fué una niñita alumna de Tía Elisa, a quien mi tía le sopló el breve discurso que recitó a tropezones. Entre aplausos, la pequeña se arrimó un poco más y besó a Tía Ema en la mejilla. Hasta entonces no se había establecido cuál sería la etiqueta que prevalecería en la ceremonia. La pequeña, ante el desconcierto acibarado de Tía Ema, ante el asombro divertido de mi familia de Buenos Aires y ante la indignación de mis tíos de "Los Miradores", fué quien la fijó. Tía Ema había esperado, tal vez, que aquel fuera, en todo el sentido de la palabra, un besamanos, y por eso se había calzado para protegerse unos mitones negros que dejaban asomar la punta de sus dedos de cuidadas uñas, y bajo los cuales se adivinaba el relampaguear de las sortijas de brillantes. Pero su cálculo falló, porque las maestras que siguieron a la niña en fila compacta, y las escolares tímidas a quienes empujaban hacia el trono, la besaron también, una a una, y lo mismo hicieron Doña Carlota, la tendera; y la esposa de Don Víctor, el cartero; y la de Don Pablo, el almacenero; y la del médico y la del escribano y la del Dr. Pilatos y las que habían llegado de las estancias vecinas y de las chacras, y las numerosas damas parroquiales que se habían enjaezado con sus gualdrapas mejores para presentarse en el recibo de la hija del fundador. También la rodearon los hombres, quienes se limitaban, por cierto, a darle la mano. El único que se la besó fué Don Fulvio, quien trajo consigo a César Angioletti, pues Matilde y Berenice aparecieron más tarde. Don Fulvio resplandecía con su chaleco blanco, y miraba hacia mis tíos porteños con una sonrisa cariñosa, amorosa, definitivamente solidaria, como si contemplara a los grandes de la tierra. Entonces corroboré algo que había sospechado siempre, y es que los muchachos jugadores de billar del club eran unos botarates, ya que cuando les correspondió saludar a Tía Ema —¡cómo iban a perderse el fiestón!— lo hicieron con una torpeza de monos amaestrados, para refugiarse en seguida junto a sus novias, lanzando alrededor unas ojeadas retadoras de matones, que no recogió nadie.

Para introducir un "divertissement" en el homenaje —cuyos participantes iban colmando las salas y mirando objeto por objeto, como si se fueran a rematar—, y azuzada seguramente por un típico impulso de directora de escuela presentadora de "números", Tía Elisa sugirió que Angioletti podría sentarse al piano y tocar algo de Chopin. El músico palideció, pero Tía Duma, Tío Nicolás, Tío Sebastián, Saint-Luc y los restantes —no Tía Ema— insistieron, muy estimulados por Don Fulvio, para que lo hiciera, y no pudo evitarlo. Las notas del primer movimiento —fué el único que interpretó— de la tercera Sonata en Si menor, que yo conocía bien, llenaron la casa con los temas del "allegro maestoso", y Chopin planeó sobre nosotros como un gran pájaro. Comprendí, cuando veía agitarse y despeinarse la melena de mi maestro sobre el piano enfermo de asma, cuánto debía sufrir en ese instante.

Tía Ema, temerosa de que la composición, cuyas proporciones ignoraba, se alargara demasiado, acaso más allá del término corto de su vida, de manera que los compases últimos eran capaces de concordar con su encierro definitivo en el trinchante de Santa Gertrudis, hizo un ademán de reina para que continuara el desfile, así que en tanto que César Angioletti desenroscaba el movimiento expresivo, se reanudó el ir y venir —lo más silencioso posible y casi en puntillas— de burgueses, paisanos, chiquitos y comerciantes, en torno del áureo sitial.

No bien concluyó Angioletti, que había tocado estupendamente ante la indiferencia general, las maestras y celadoras del colegio de Tía Elisa dijeron que era justo que ésta diera en el piano una prueba de su talento. Tía Elisa se hizo rogar bastante y accedió. Creo que Tío Baltasar la hubiera matado en esa oportunidad. Distribuídos en semicírculo en un costado de la sala, los parientes —la rama de Tía Duma, la rama de Tía Clara, la de Tío Nicolás —cuchichearon, risueños, y las cadencias del vals de "Romeo y Julieta" de Gounod resonaron como si golpeara las teclas un autómata.

La impresión que me embargó de inmediato fué que toda la escena era irreal y —como tantas veces en el curso de mi existencia— pensé que la estaba soñando, porque el vals del primer acto (que era el vals del invernáculo y el vals del baile de Berenice, el "tema" de las grandes ocasiones de mi vida) tenía la virtud de transportarme con sus reminiscencias antagónicas, en rápidos giros, a una zona inquietantemente fantástica. Para completar mi confusión, en ese instante se adelantó, bajo las miradas irascibles de algunas señoras del pueblo, que con sus ojos protuberantes y las duras aletas de sus sombreros parecían grandes peces chinos, feroces, que flotaban en el lento olear de los cortinajes, la mujer del invernáculo, la mujer de la cochera, la que había liberado a ese vals prisionero del resorte de la fuente, al inclinarse desnuda sobre su mecanismo. Llevaba el sombrero verde que yo le había visto usar en la misa de San Damián. Caminó, pues, hasta el sillón soberano de Tía Ema y, como las demás, besó a la anciana, a quien la fatiga y la náusea le cerraban los párpados, a quien se le ladeaba el ala de Walkyria sobre la rosca de Pascua, y que se diría que sólo conservaba vivas —pues el resto había muerto durante la ceremonia— las menudas manos nerviosas que se aferraban a los brazos del mueble y que de vez en cuando dejaban escapar del luto de los mitones, como la rápida mirada maligna de un animalejo oculto, el centelleo de una piedra preciosa.

La vida urde ciertos sobresaltos teatrales, ciertos "trucos" (a los que disfrazamos con el rótulo de "coincidencias" para que no nos aterrorice la idea de que en torno de nosotros anda siempre, rozándonos como un bufón terriblemente imaginativo y siniestro, el destino) y que no debieran sorprender a quien, como yo, es un hijo de un prestidigitador, a quien trae la prestidigitación en la sangre. Pero confieso que la entrada insólita de la mujer que para mi inexperiencia simbolizaba el pecado, y a quien no podía ver sin desnudarla, en el momento preciso en que sonaba el vals que compartía de manera tan arbitraria con Berenice, y la expresión inconmovible, pétrea, de Tío Sebastián, que estaba casualmente (o no casualmente, si me atengo a lo que dije más arriba de las bufonadas formidables del destino), parado detrás de su tía y esforzándose para que las visitas lo confundieran con los parientes frívolos recién llegados, intensificaron la sensación de irrealidad que había comenzado a embargarme con los compases iniciales del vals de Gounod. Y entonces la alucinación provocada por la música se proyectó sobre mis tíos porteños, a quienes fuí transformando y enmascarando a medida que continuaba el vals. Los vi, sentados en semicírculo en las sillas doradas, con las capas de pieles echadas sobre los hombros, con las cibelinas y los zorros caídos en los respaldos, y no sé si por una tendencia espontánea a transportarlo todo al plano pictórico, o por la deformación que mi naturaleza había sufrido desde mi niñez nutrida de catálogos y postales, pues poseía un caudal inmenso de imágenes recogidas en el azar de las lecturas y repasos que me había impuesto Tío Baltasar, compuse con ellos una gran tela, un gran óleo histórico, que tenía por fondo las columnas del "hall" y los paños de sus colgaduras antiguas. Y paralelamente con la prolongación del besuqueo popular a Tía Ema —que proseguía como si se tratara de ganar quién sabe qué indulgencias mundanas— ellos reprodujeron para mí algo semejante a la tela oficial que representa a la familia de Felipe V, de Louis-Michel Van Loo, en el Museo del Prado, por la distribución de los personajes y la suntuosidad borbónica de las actitudes, sólo que la riqueza de imágenes a que aludí y que brotaban de mi memoria, formó ese cuadro con otros cuadros, pues cada uno de mis tíos me evocaba a un distinto pintor —Tío Fermín, al Greco; Tía Duma, a Largillière (un Largillière copiado por Boldini); Tío Nicolás, a Federico de Madrazo; Tía Clara, a Jordaens; Gontran de Saint-Luc, a Renoir; su mujer, a Helleu; y Marco-Antonio Brandini, junto al cortinaje de terciopelo amarillo y púrpura, con su gabán con vueltas de piel, y su perfil que reclamaba un pendiente, una perla barroca colgada del lóbulo, a Ticiano—; y así cada uno había acudido como a una cita, desde la distancia quimérica de galerías y museos, a ubicarse dentro del vasto cuadro familiar concebido por Van Loo para otros personajes, que se exhibía ahora en el "hall" de "Los Miradores" como extraña apoteosis del linaje de la torre en llamas. Oscilaban, estéticos, patricios, en la neblina de la irrealidad, como si se aprestaran a levantarse para bailar afectadamente el vals de "Romeo y Julieta", mientras la mujer del sombrero verde besaba a la vieja castellana de "Los Miradores", y yo sentía como si mi vida avanzara también hasta las gradas del trono, hacia la octogenaria señora, en pos de la mujer del invernáculo, sentía como si mi vida avanzara, impulsada por mis tíos comprensivos y burlones —mi pobre vida simple que hubiera podido cantarse con la "ariette" de ese vals—, para que yo hiciera una confesión pública y pidiera el perdón de todos, de Berenice, de Simón, de Tío Baltasar, de Tía Gertrudis, de Tía Ema, de Doña Carlota, del intendente, del cura, de las monjas, de las puesteras de las estancias, y tal vez para que lo obtuviera porque quizás el amor bastaba para redimirme.

La gente fué pasando al comedor, en cuya mesa y en cuyos aparadores se erguían en pirámides, como trofeos, las fuentes de masas y de sandwiches, en torno de las cuales montaban guardia, con sus tapones altos como gorros de eunucos, los botellones de Jerez y las jarras de refrescos. Nadie había faltado a la cita de honor. Había entre los visitantes dos caudillos políticos de la zona, que se paseaban con sus ponchitos de vicuña terciados a la espalda. Examinaban todo como si lo reconocieran, haciéndose unos guiños densos de sobreentendidos, con lo cual daban la impresión a sus adeptos de que habían estado en ese comedor en cien ocasiones, lo que no era cierto pues me constaba que lo veían por primera vez. Sus devotos —que eran simultáneamente sus votos— los rodeaban. Se fueron agrupando y constituyendo una corte separada, dentro de la gran corte general que en círculos concéntricos giraba alrededor de la mesa opípara. Definiéronse así, en medio del público fluctuante que iba de la una a la otra, dos pequeñas cortes distintas, extranjeras en el vestir, en los ademanes, y si no en el idioma por lo menos en el vocabulario: la corte electoral, integrada por personas de la clase media del pueblo y por elementos bombachudos de la campaña, que si al comienzo de la reunión tuvieron un tono severo luego se fueron "soltando" y agilizando, sin abandonar su prevención obsequiosa; y la corte palatina de mis tíos, los de Buenos Aires y los de "Los Miradores", friolentos, gráciles, cómodos y seguros. El encuentro en el comedor de ambas ruedas, exóticas la una para la otra —la que podríamos llamar de los Grandes Electores y la que denominaríamos del Pacto de Familia— me recordó, por el afán de "trasladarlo" todo que ya mencioné, propio de mi información y de la pintoresca incongruencia de la ceremonia, esas entrevistas que se llevaban a cabo hace siglos con motivo de los casamientos regios, en las fronteras de los estados, con intercambio de infantas, regalos, intrigas, envidias y desdenes, en las que el recelo, la urbanidad (y acaso el ridículo) se balanceaban, y que después servían de tema para los cartones de los tapices.

Nadie, nadie había faltado, en verdad, pero lo que dejó estupefactos a Tío Baltasar y a Tía Gertrudis, y los indignó pues se trataba de los enemigos fundamentales que la prodigalidad de su padre le había impuesto al clan, fué la presencia de los directores de la destilería de petróleo, que circulaban holgadamente, charlaban con Tía Ema, quien los atendía con una amabilidad excesiva, y bebían Jerez sin evidenciar ningún complejo. De modo que ya no hubiera podido extrañarnos —tan asombrosa resultaba la presentación de esos forasteros— que entrara en el comedor el desfile mucho más admisible y bienvenido de los santos patronímicos de San Damián, descendidos de sus ventanas góticas por lo excepcional del caso, para ubicarse cada uno, como en las tablas antiguas en que el santo se situaba junto al donante, al lado de las damas y los caballeros que llevaban sus nombres ejemplares con más o menos responsabilidad. Al desconcierto que suscitó la inclusión de los directores de la destilería en la fiesta —y que mis tíos interpretaron seguramente como una prueba más del prestigio universal de la torre en llamas, que en sus actos solemnes acogía por igual a amigos y enemigos, pues era imposible, si se deseaba sobrevivir sin problemas, no participar de sus ritos supremos—, se sumó, para mis dos tíos rebeldes, la angustia que les causaba el tiempo que transcurría inexorablemente, al acercar la hora de la partida de la parentela, sin duda porque ahora que habían estado tan próximos a su calor solar los obsesionaba la idea de que pronto volverían a quedarse solos en el frío destierro de la quinta.

A esa altura de la reunión, muy tarde, aparecieron Matilde Serén y Berenice.

Mi amada estaba maravillosamente encantadora, con su vestido azul y su sombrero "cloche" de terciopelo negro. Tuve la audacia de presentársela a Tía Ema, y la anciana, que la observó con unos ojos empañados por lágrimas más atribuibles a la vejez que a la emoción, le rozó la mejilla con los mitones.

—Una muchacha así te convendría cuando pienses en casarte —me dijo.

Tío Baltasar intervino, alerta:

—Es muy joven todavía para pensar en casarse, Tía Ema. Y además, ¿para qué casarse? Ni tú ni yo nos hemos casado, y sin embargo hemos sido felices.

La octogenaria recapacitó. Su voz ascendió, melancólica como enredada en líquenes, de la penumbra de las cavernas del tiempo:

—Yo debí casarme —murmuró— . . . debí casarme . . .

Berenice, piloteada por su abuelo como por un chambelán surgido del mundo de las carrozas, se había alejado para saludar a Tía Duma y a Tía Clara.

Tío Baltasar se acarició con la mano sana la manita ortopédica, que era entre sus dedos un objeto delicado y precioso, una insignia de poder, semejante a esa Mano de Justicia, de oro y de marfil, que corona uno de los cetros de los reyes de Francia, en el Louvre:

—En Buenos Aires —añadió bajando la voz— encontraría una chica mejor; en todo caso, más como nosotros.

Y, porque Victor Hugo había dejado en él una huella profunda, agregó, fingiendo que bromeaba:

—Nosotros hemos sido fabricados por Dios con una arcilla rara, Tía Ema. Somos una alfarería perfecta, sutil, de museo. El choque más leve puede quebrarnos. Tengámoslo presente.

—¿Nosotros? —interrogó Tía Ema, repentinamente humilde, olvidada de su trono, de su trinchante sepulcral y de sus mitones—. ¡Qué poeta incorregible eres, Baltasar! ¡Qué lástima que se perdieran tus cuadernos! ¿Qué somos nosotros, Baltasar? El mundo ha cambiado... esto se acaba...

E hizo un ademán que abarcaba a la chimenea de los cuatro escudos, al leopardo de la Marquesa de Saint-Luc, al turbante de Tía Duma, a los platos con las miniaturas de las "dames de coeur" y a la nobleza física de Tío Fermín, tan príncipe como Marco-Antonio Brandini.

—Y Berenice —protesté— es una chica muy amiga mía... y muy buena...

No se me ocurrió otro argumento. Tío Baltasar me clavó los ojos duramente. Más tarde, en mi cuarto, pensé que para Tío Baltasar el hecho de que yo me casara con una muchacha del pueblo, por rico que su abuelo fuera, por músico que fuera su padre, significaría aportar una prueba más de la decadencia de nuestra rama, mientras que Tía Ema, enterada quizás de esos detalles financieros, juzgaría a la alianza tan provechosa —aunque de otro punto de vista— como Don Fulvio; provechosa, claro está, para uno de los obligados residentes de "Los Miradores", no para un miembro de otra de las ramas, y sobre todo para Miguel Ryski, el hijo de Wladimir Ryski, el prestidigitador, un individuo tan difícil de encasillar en el cuadro de las relaciones mundanas que, por esa misma singularidad inubicable y perturbadora, casi necesitaba, como el ornitorrinco y el equidna, una subdivisión especial y solitaria para él en la escala convencional de clasificaciones.

Los dejé y busqué a Berenice. La había esperado desde que comenzó la fiesta, espiando la galería, importunando a Angioletti y a Serén con mis preguntas. La hallé, de pie como ante un "parterre", ante el semicírculo de sonrisas a cuya creación habían contribuído los pintores de Ticiano a Renoir, y la saqué de allí con un pretexto. La conduje junto a una de las ventanas y le susurré al oído lo que no le había dicho hasta entonces:

—Cuando seamos un poco más grandes, Berenice, nos casaremos. Te quiero, Berenice... te quiero, Berenice, Berenice...

Ella alzó ligeramente el visillo que cubría la ventana, para tomarme la mano detrás del tul. Atisbamos hacia afuera y retrocedimos instintivamente, porque ahí, con la cara y la brasa del pelo pegadas a la reja, estaba Simón, quien no había osado entrar pues en su orgullo no se consideraba ni como uno de los mucamos, ni como uno de los nobles exilados de la quinta, ni como uno de los súbditos de Tía Ema, venidos del pueblo a venerarla en su hornacina dorada, y que era tan inubicable como yo.

Abrí el cristal y lo reconvine:

—Simón, ¿por qué no entrás?

Berenice le pasó una bandeja de sandwiches, pero mi amigo no los quiso probar y se apartó hacia el busto romano del Dr. Aristóbulo del Valle que uno de los automóviles iluminaba en ese momento con sus faros.

Oí, a mi espalda, la voz de Tío Baltasar:

—Déjalo, Miguel, es un pobre diablo. No vale la pena que te ocupes de él... y suéltala a esa chica... no seas tonto... ¿qué es eso de andar con las manos agarradas, como dos estúpidos?

Avergonzados, nos soltamos. Tía Duma se aproximó, escoltada por Brandini. Se iban. Se iban todos. Tía Ema los seguiría poco después, con Clara.

Era la señal de que había terminado la fiesta. La gente comenzó a salir a la oscuridad helada de la noche. Probablemente comentarían la presencia de la mujer del invernáculo. Durante días, durante meses, durante su existencia, hablarían de esa tarde extraordinaria, y el mensaje histórico se transmitiría de madre a hija: "Yo la conocí a Misia Ema, una señora chiquita, con unos guantes negros y un collar de brillantes que le disimulaba las arrugas; me besó en una fiesta que hubo en 'Los Miradores', hace tanto tiempo... tanto tiempo..."

En el "hall", en el comedor, en las salas, *el* revoltijo de las vajillas y de los muebles, entre los cuales circulaba Basilio con su librea, como ese lacayo que corre el telón, en el teatro, cuando el espectáculo ha llegado a su fin, proclamaban con su desorden suntuoso la efímera recuperación por "Los Miradores" de sus costumbres hospitalarias. Don Damián lo contemplaba todo, desde su óleo, con una mano en la solapa y la otra apoyada en un libro, y posiblemente lo encontraba a su gusto. Se fué Berenice. Pronto no quedaron en el "hall" más que Tía Ema, que había mandado pedir su coche, Tía Clara, Tío Baltasar y sus hermanas, Tío Fermín y yo. Entonces, con un auténtico golpe de teatro —porque fué como si Basilio volviera a descorrer el telón escarlata en el proscenio, pues el autor de la obra, el destino merodeador, nos reservaba la sorpresa de una escena más, tan fundamental que de ella dependía el éxito de la pieza entera, ya que encerraba el nudo del argumento y la explicación de los episodios aparentemente insulsos que la habían precedido— Tía Ema cortó el parloteo con el cual los demás glosaban las minucias de la recepción y dijo:

—He guardado hasta ahora una noticia importante.

Nos estudió aisladamente, con sus ojillos insospechadamente astutos de los cuales habían desaparecido los signos de fatiga, y comprendimos no sin cierta aprensión que la noticia era en verdad importante.

—He vendido la quinta —prosiguió—, he vendido "Los Miradores".

—¿Has... vendido... "Los Miradores"?

—¿"Los Miradores"?... ¿La casa de tu padre?...

—¡Y no me habías dicho nada! —se quejó Tía Clara, la gorda.

—El jueves firmé el boleto. Y asómbrense: he vendido "Los Miradores" a la destilería.

—¿A la destilería?

—Nom de Dieu! —exclamó Tío Baltasar.

—Sí. Era el único comprador posible. Pagan muy buen precio. Quieren la quinta para instalar un club... algo para los empleados... no sé... Hace años que dan vueltas para que me decida.

—Pero... ¿cómo lo has hecho, Tía Ema? —inquirió Tía Elisa—. La quinta de Papá Damián, que es tu orgullo...

—El orgullo de toda la familia —puntualizó Tía Clara, escudriñando alrededor sin mucho entusiasmo— ...Tus muebles... la tradición... una especie de... de casa solariega para todos nosotros...

—No hubo más remedio, mi querida. El asilo me ha costado muy caro. La cripta... ¡si supieras lo que ha costado la cripta!

—Has hecho muy bien en construirla, mi querida.

—Y tengo que pagarla. Son miles y miles de pesos...

—Así que has vendido "Los Miradores"...

Tío Baltasar no lo podía creer. Repetía la pregunta en el vacío. Pensaría, como sus hermanas, a dónde irían a parar, con la Mesa del Emperador, con los libros, con su vanidad que requería muchos metros cuadrados para explayarse.

—Y eso no es todo —prosiguió la anciana, enderezándose el sombrero y recogiendo la cartera y el bastón—. En cuanto me paguen, les haré un regalo...

Volvió a analizarnos uno por uno, gozando de los segundos de suspenso, y lanzó la bomba:

—Podrán irse a Europa por fin.

Mis tíos la rodearon, electrizados, incoherentes:

—¿Cómo? ¿Cómo?

—Se podrán ir. Les regalaré el viaje. Ya veremos... Tal vez muy pronto, dentro de seis meses... porque no tengo que entregar la quinta antes... se podrán ir... —y sonrió, irónica—... ¡qué locos son!... iguales a mi pobre hermano... Arreglaré las cosas de modo que se puedan instalar allí... sencillamente... Ya veremos... ya veremos...

Hubo que traer agua para Tío Fermín, quien se había derrumbado, verde, verde con los verdes del Greco, en un sillón.

Clara palmeaba a su prima:

—¡Ay! ¡Ay! Ema... tú no cambias... siempre generosa...

Los demás la abrazaron. Me abrazaron a mí también, que estaba lejos de compartir su alegría. Habían olvidado la acritud con que, durante años, se habían referido a la avaricia de su tía, a la carcelera que los había humillado en las celdas de "Los Miradores"; habían olvidado el vocabulario majestuoso que empleaban cuando aludían a su quinta, al caserón que siempre, siempre seguiría en manos de la familia, porque, como había dicho Tía Clara, era una especie de casa solariega, una especie de castillo adornado de memorias ilustres, inventadamente ilustres, una masa de edificaciones arbitrarias y conmovedoras, levantada en el curso de treinta y cuatro años —como un enorme alcázar alzado a lo largo de tres siglos, con estilos dispares, con influencias artísticas e históricas superpuestas—, delante del río con el cual mi familia se consideraba emparentada mitológicamente, porque su gran antepasado lo había teñido con su sangre heroica; habían olvidado el odio mortal con que execraban a la destilería, encumbrando ante ella su casa gloriosa, en lo alto de la barranca, como una dama aristocrática que enfrenta la bella inutilidad de su calmo lujo con la plebeya vulgaridad de los seres prácticos que se empeñan en hacer dinero y más dinero, gimiendo y resoplando sin cesar, mientras ella sigue soñando, inmóvil; habían olvidado que a Tía Ema le convenía deshacerse de su quinta, elefante blanco sin cornac, que amenazaba con una muerte ruinosa, y deshacerse simultáneamente de ellos, que eran la eterna pesadilla que había heredado de su hermano, el disipador; habían olvidado cuánto habían padecido y fantaseado allí, cuánto de ellos mismos era inseparable del invernáculo, de la terraza, de la arboleda, de los salones; y se apretaban alrededor de Tía Ema, jubilosos, restallantes —tanto que tuve la impresión de que iban a ponerse a bailar en torno suyo, como esos indígenas sedientos que danzan en torno del pequeño ídolo, del tótem que en ese caso era mitad zorro y mitad cuervo y que había sido pintarrajeado en su palidez y su negrura por el "rouge" de los besos supersticiosos y tenaces—; y hablaban todos a un tiempo, ¿qué digo hablaban?: cantaban... cantaban formando un sexteto que combinaba los temas distintos de sus vidas ("Los Miradores", Victor Hugo, la generosidad, París, Fiésole, el Café de la Paix, los equipajes, la Mesa del Emperador, Santa Gertrudis, la destilería, la escuela, Roma, el Louvre, el Prado, Don Damián, el bienestar, la vejez, la familia, la Comedia Francesa, la literatura, los trasatlánticos, la elegancia, y los merengues "únicos" que habían comido todos en la "pâtissèrie" de la rue Raynouard), un sexteto sobre cuya estridencia polifónica, enriquecida con las notas bajas de Tía Clara y con los gorgoritos anhelosos de Tío Fermín, cayó definitivamente el telón triunfal cuando Basilio, atónito ante la locura de los señores y furibundo ante la evidente amistad que vinculaba a Tía Ema y sus sobrinos, entró para anunciar pomposamente que el automóvil aguardaba delante de la marquesina.

Yo los miraba, asomados como a un arca portátil de reliquias milagrosas, a las ventanillas del coche donde las dos señoras partían. Los miraba, y me acordaba de Berenice y me dolía el corazón.

—Tú vendrás también, naturalmente— me dijo Tío Baltasar, poniéndome la mano de madera sobre el hombro—. Podrás estudiar en la Sorbona. Seremos felices allí... seremos felices...

X

He releído las últimas páginas de este cuaderno, y pienso que si las he escrito así, dejándome llevar por un espíritu burlón, es porque mientras las redactaba prevaleció en mi ánimo lo que en mí deriva directamente de mi padre, del metamorfoseador de conejos y palomas, del descubridor de ramos de crisantemos en lo hondo de las peceras. Gracias a él, supongo, gracias a que soy su hijo, el hijo de un forastero inconoclasta que sabía por razones profesionales qué es lo que se esconde, como en un estuche, en el interior de los objetos vacíos, y que sabía, por la inclasificable condición de su existencia que escapó al rigor de las clases y a sus prejuicios, lo que se esconde tras la fachada convencional de las personas, he podido mirar a los míos como si yo fuera un extranjero también, y sonreír donde los demás de mi casa hubieran permanecido serios. Me he dejado llevar de una página a la otra, casi como si me dictaran los párrafos, y de ese modo, en medio de las melancolías que voy refiriendo, ha surgido un entreacto de caricatura. Pero, ¿acaso el tono zumbón, el tono de Wladimir Ryski, le quita tristeza a lo que refiero ahí? Se me ocurrió que debía desgarrar esas páginas y escribir otras, cambiando el enfoque, pero he reflexionado y he resuelto que no, que las dejaré, porque si algo caracteriza a estos recuerdos es su sinceridad, y si ese tono se me impuso espontáneamente para describir la fiesta en la que Tía Ema anunció a mis tíos el viaje a Europa, y en la que se me mostraron tantas facetas de los míos, del clan de la torre en llamas, de los decadentes y de los prósperos, identificados por una serie de obstinaciones comunes, es porque en verdad lo sentí y no quiero traicionarme. La pesadumbre tiene muchas caras, y quizás la irónica —aquella cuyo rictus procede de la desproporción que observa en las causas y los efectos— sea una de las más tristes.

Al día siguiente, yo también regresé a Buenos Aires. Tío Baltasar se esforzó inútilmente para retenerme en la quinta. Si nos íbamos a Europa dentro de seis meses... ¿para qué necesitaba volver a la Facultad? Pero yo me escurrí. "Los Miradores" habían reanudado una vez más su accidentado viaje. Los proyectos reverdecían, como si una primavera de esperanzas hubiera florecido en el caserón, mientras el invierno empezaba a agostar su jardín, y yo presentí que no resistiría la temperatura eufórica de Tío Baltasar, de Tía Elisa, de Tío Fermín y de Tía Gertrudis, pues no compartía su arrebato y más que nunca anhelaba permanecer junto a Berenice.

Recomencé, pues, mi vida porteña, en la oscura pensión de la calle Uruguay, donde se dijera que las señoritas de Mendoza habían sido talladas por el mismo ebanista saturnino que inventó sus camas lúgubres y sus angustiadas mesas de luz, ochenta años atrás. Al tiempo en que aprendía introducción a la historia, latín y griego, componía versos —algunos de ellos, muy modificados, figuran en la primera edición de "El Alba"—, pero entonces experimenté una sensación curiosa, y es que, cuando había conseguido huir de la prisión de "Los Miradores" y de la sofocante vigilancia de Tío Baltasar, y estar cerca de Berenice a quien veía una vez por semana, mis pensamientos iban invariablemente, en busca de inspiración, hacia lo que había abandonado con alivio, y me parecía que, así como en "Los Miradores" no podía escribir por todo lo que allí me agobiaba, fuera de ellos, en contacto con la aséptica realidad, no podía tampoco hacerlo plenamente porque extrañaba su atmósfera, esa atmósfera que había juzgado maléfica para mi expansión espiritual, por enrarecida. Los temía y los necesitaba.

Diariamente recibía una carta de Tío Baltasar. Ahora, a las líneas dedicadas al análisis de Balzac y de Barbey d'Aurevilly, a las recelosas recomendaciones acerca de las compañías que me convenía escoger —entre las cuales se deslizaba, encubierta, sin nombrarla, alguna alusión punzante a mi vínculo con Berenice—, se mezclaba el leit-motiv épico del viaje próximo, que nos reuniría a la sombra de los monumentos romanos y franceses, "en un suelo donde la piedra de los capiteles corintios brota como brotan aquí los ceibos". Un mes después las cartas escasearon, hasta que llegó a la pensión un telegrama que anunciaba la súbita enfermedad de mi tío e incluía su urgente pedido de que fuera a verlo cuanto antes. Así lo hice, cerrando los textos en los que proseguía con ritmo intermitente mi discutible preparación universitaria, y tranquilizado por la seguridad de que Berenice iría también al pueblo poco más tarde, para festejar los setenta años de Don Fulvio.

Tío Baltasar me aguardaba en cama, flanqueado de libros. Estaba muy pálido, muy ojeroso, muy hermoso, con una gran piel apolillada de "skunks" que había sido de mi abuelo, echada sobre las cobijas. La vieja salamandra del cuarto gruñía como una caldera. Ni él ni sus hermanas pudieron explicarme su enfermedad. Al atardecer, según me dijo, le subía la fiebre, pero me pareció de buen humor cuando me estrechó en sus brazos y se puso a charlar nerviosamente sobre el viaje. Los planes habían cambiado. Ya no se radicarían ni en Fiésole ni en París, sino cerca de París, en un pueblito, por ejemplo en ese Montlhéry de Seine-et-Oise en el cual habían pasado un verano de su adolescencia. Abrió un álbum de tarjetas postales y me enseñó las fotografías borrosas: la iglesia, que tiene partes del siglo XIII, y las ruinas del castillo, que el Sire Thibaut de Montmorency empezó a construir en el siglo XI. Yo acababa de entrar; mi maleta estaba aún sin deshacer en mi dormitorio; y la extraña atmósfera de "Los Miradores", con todo lo que tenía de alucinante, de divorciada de lo cotidiano, volvía a cercarme, porque Tío Baltasar me miraba con sus grandes ojos, un mechón de lacio pelo gris caído sobre la frente, hundida la cabeza en las almohadas, dejando que su mano falsa descansara sobre la piel de "skunks", y me hablaba de ese castillo que se alza (*"como "Los Miradores", que también están rodeados de tumbas"* —subrayó cáusticamente—) en la cumbre de una colina, entre las tumbas de un cementerio galo-romano. Hablaba, volteando con la diestra las hojas de los libros, y yo, que venía de Buenos Aires, del aburrimiento de la casa de la calle Uruguay, donde las señoritas de Mendoza y los cuatro estudiantes que allí vivíamos tomábamos unas sopas crueles, comentando lo que cuestan la electricidad, la harina y los huevos; que venía de una Facultad en la que la mayoría de los muchachos se había inscripto porque, equivocadamente, creían que esa carrera era la más fácil de todas; veía materializarse en un ángulo del cuarto, junto a la salamandra, como elaborada por el ectoplasma de una sesión de espiritismo, la gigantesca armadura de Thibaut de Montmorency, llamado "File-Étoupe". Era, de nuevo y en seguida —tan velozmente que casi me ahogaba, como les sucede a los que en un aeroplano son lanzados a varios miles de metros de altura en pocos segundos—, el aire de "Los Miradores" en el cual el tiempo parecía flotar como un monstruo, como una fabulosa anguila, transparente, eterno, sin ayer, sin hoy y sin mañana. Y en esos "Miradores" que (por obra de una magia surgida de la propia anomalía de las vidas que allí se desarrollaban, desatadas del tiempo, proyectadas hacia el pasado y hacia un futuro tejido en el telar del pasado) se confundían con el castillo de Montlhéry, hasta formar con él un todo heterogéneo y poético, Tío Baltasar yacía, víctima de una enfermedad enigmática, bajo su manta de "skunks", en la torrecilla que asoma a un costado del espeso cubo feudal en Seine-et-Oise, y en la que yo escuchaba las voces de los estudiantes de la calle Uruguay —los tucumanos y el cordobés—, cuyo provinciano canturreo sonaba intacto en mis oídos pues no había podido desprenderme de él como no había podido abrir mi valija; las escuchaba mezclar las referencias a la carestía de la vida contemporánea, en un medio en el que había que resignarse a no comprar zapatos si se quería llevar a una chica al cine y a tomar algo, bailar, etc., con el vozarrón medieval del Sire de Montmorency "File-Étoupe", quien subía la escalera de caracol de Montlhéry y de "Los Miradores" con estrépito de armas, quitándose el yelmo ensangrentado, y mostrando, sobre el peto de acero y la cota, una cara igual a la de Victor Hugo, o a la que Monvoisin pintó de mi tatarabuelo, el que murió el año 1845, luchando como Hércules contra el río transformado en serpiente de fuego y espuma.

Tanto me habló Tío Baltasar que temí que se fatigase, pero Tía Elisa, cuando se lo comuniqué, me dijo:

—No... no... déjalo... tú le haces mucho bien...

—Pero... ¿qué tiene?

—El médico dice que es de origen nervioso, que necesita descanso, que pronto se le pasará. ¡Ha trabajado tanto últimamente!

—¿No es cierto que no te irás? —me preguntó Tío Baltasar, en momentos en que yo me alistaba para bajar al comedor, y esas palabras despertaron en mí, por su tono, un eco antiguo, el del balbuceo de Simón la vez que me besó la mano con tan raro impulso, en el bote, murmurando: "Te irás... te irás..."

Le aseguré que hasta que no se restableciera no partiría. Pero... ¿cuál era en verdad la enfermedad de mi tío? Estaba muy avejentado y desmejorado. Diríase que la pérdida de Victor Hugo, aquella terrible amputación que había operado sobre sí mismo, lo había vaciado por dentro. Por momentos le brillaban los ojos y tornaba a ser fugazmente el de antes, pero luego era evidente la anormalidad de su condición.

Tres días después, por la tarde, creyendo que dormía, resolví dar un paseo por el pueblo, con Simón. Cuando pasé delante de su puerta, me llamó:

—¿A dónde vas, Miguel?

—Voy a dar una vuelta por el pueblo, con Simón. Volveré dentro de una hora.

—Con Simón... con Simón... en vez de quedarte conmigo...

—Ya volveré, Tío Baltasar. Ahora tienes que dormir...

—Con Simón... con Simón...

Yo me hubiera ido con Simón o con cualquiera, pues la obligación de permanecer junto a mi tío, como en la época del invernáculo, comenzaba a asfixiarme de nuevo, ya que Tío Baltasar no desperdiciaba ocasión para decir algo contra Berenice, contra sus padres o contra Don Fulvio, con una voz moribunda que me pareció fingida. Hacía que le leyera el primer tomo de la "Histoire de la Maison de Montmorency" de M. Desormeaux, en el que figura ese Thibaut apodado "File-Étoupe", señor de Bray y de Montlhéry y Gran "Forestier" de Francia, cerca de cuyo ruinoso castillo esperaba poder instalarse —porque sería más barato y porque así estaría más próximo a las auténticas raíces europeas— con sus hermanas, con Tío Fermín —el de la pequeña renta— y conmigo, y aprovechaba con una astucia notable cualquier oportunidad que se le ofreciera en las pausas de la lectura para aludir de algún modo a las relaciones que Berenice y yo manteníamos, burlándose de ellas por medio de alusiones tan sutiles y con tanta languidez en la voz que yo no osaba contradecirlo. Así transcurrieron esos días. El libro era innegablemente tedioso. Al primer volumen sucedió el segundo, y me aguardaban tres más, forrados de papel celeste. Cuando Tío Baltasar me detenía al final de un párrafo, con un movimiento de su mano sana, para formular alguna observación entre cariñosa y mordaz, indefinible, yo pasaba las páginas descoloridas —la edición era del año 1764—, en las cuales el nombre de los Montmorency, "barones por la gracia de Dios", se repetía línea a línea, y sentía que esos centenares de Montmorency, sacudidos como un árbol en su olvido libresco, caían sobre mí, como hojas secas, muertas, que en sus nervaduras ostentaban las designaciones gloriosas: condestable, senescal, mariscal, chambelán, par de Francia, y me cubrían poco a poco.

Ansiaba irme de ese cuarto, en el que Tío Baltasar me presentaba sucesivamente su faz más amiga y su faz más enemiga, y en el que se condensaba, como si alrededor fueran cerrando puertas y cerrojos, la atmósfera familiar de mi cautiverio, al mismo tiempo que se tornaba más y más palpable la extravagante atmósfera poética cuya densidad oculta yo había captado no bien mi tío empezó a hablarme con desmayado jadeo de Montlhéry, como si el hermano de mi madre, en respuesta a mudas declaraciones mías, quisiera demostrarme que el caudal lírico que emanaba de esa atmósfera fantástica, equívoca, abrumadora, desazonante, era más rico que el que Berenice y su padre me habían hecho conocer y que yo había considerado reiteradamente como la fuente legítima y fecunda de una formación espiritual que día a día progresaba.

Simón y yo no teníamos casi nada que decirnos. Ahora él ayudaba en la quinta, como jardinero, pero por lo que deduje de los refunfuños de Úrsula, quedaba buena parte del día tumbado debajo de un árbol o aislado en el cuarto redondo donde antes estudiaba, dormitando o leyendo.

Juntos atravesamos, con lento paso, el pueblo fundado por mi antecesor. Entonces yo sentí, de súbito, como si en mi interior se hubiera alzado una compuerta y como si las impresiones se precipitaran en tumulto, revelándome la dulce y secreta poesía de ese lugar, cuya esencia corroboré calle a calle y paso a paso, quizás porque ahora podía valorar su multiplicidad viviente con cierta perspectiva. Fué como si descubriera al pueblo, a un pueblo ignorado, aletargado, que despertaba y se estremecía y vibraba por fin, y entonces su poesía se sumó a la de

"Los Miradores", tan insondable, y a esas otras poesías —la de Bach, la de Racine, la de Rilke— que habían elaborado dentro de mí su impalpable tela, probablemente para revestir al paisaje habitual y para manifestarme su íntima hermosura; y de repente, mientras caminábamos y yo miraba todo con ojos nuevos, experimenté una emoción tan honda y tan apasionada que tuve que detenerme y juntar las manos, en un movimiento natural, como quien reza. Había madurado. Todo se fusionaba dentro de mí y yo lo miraba como si me hubieran quitado una venda de los ojos, y estaba tan feliz que me hubiera puesto a cantar. Transfigurado, lo tomé del brazo a Simón, quien, metido en su propia celda, no podía comprender qué sucedía. Y anduvimos no una hora, como yo le había prometido a Tío Baltasar, sino horas y horas.

El pueblo se fué "componiendo" delante de mí, como un resumen, como una síntesis en la que cada elemento, como decía Chopin de las obras de Bach en su carta a Dauphine Potocka, estaba en su lugar. Desde que mi bisabuelo lo había fundado, había adelantado desordenadamente. Fuera de "Los Miradores", lo que sobresalía en él y le otorgaba cierto "tono" eran los extemporáneos edificios debidos a Don Damián y a la familia o a su influencia: la municipalidad y su recova; la estación y su cúpula Luis XVI; la iglesia y el asilo. Había, en el centro, bordeando la plaza, algunas largas casas amarillentas levantadas hacia 1870 por nostálgicos constructores y albañiles italianos, con molduras y cornisas neoclásicas, con pequeños bustos románticos de trovadores y mosqueteros asomados sobre las rejas de diseño oval; con grifos de yeso enarcados en las fachadas; con ingenuas pinturas en los zaguanes; con patios que apenas se entreveían desde la acera, en la penumbra de las plantas, de las jaulas de pájaros y de los corredores de alero amueblados con perchas desterradas y con mesas en las que se hastiaba un helecho sobre una carpeta tejida.

Yo iba de la una a la otra, transportado como si me las mostraran por primera vez, y reconocía la gracia exquisita de las manos de bronce que pendían sobre las puertas, y de las iniciales laberínticas grabadas en el cristal de las cancelas. Aquí estaba la escuela de Tía Elisa, donde aprendí las cosas que todos sabemos y que son tan respetables y tan dudosas, como por ejemplo que el león es el rey de los animales; que querer es poder; y que Cristóbal Colón era hijo de un humilde cardador de lana. Aquí estaba la casa de Berenice, con su lira, con la música que la envolvía como una trémula aureola, aun cuando Angioletti no se hubiera sentado todavía al piano, y Chopin aguardara, dormido en la caja negra. Aquí, en mitad de la plaza, me arrollaba la marejada del órgano perturbado por Tía Elisa en la nave sonora de San Damián. Mi tía desarticulaba el "Tantum ergo" en un delirio místico de improvisaciones afligentes, fruto de su afán de ensayar y exhibir los méritos de los tubos, de los registros, de los teclados, de los pedales, de la trompetería que inundaba la plaza como si un ejército antiguo —y evidentemente victorioso— hubiera entrado en el pueblo, encabezado, lo mismo que en las alegorías marciales, por roncos ángeles mofletudos, sopladores de pífanos, de clarinetes y de fagots. Los "vitraux" vistos a contraluz, con las negras siluetas de los santos de la familia dibujados en los ventanales por la gruesa línea del plomo, me hacían pensar en las estampas de mis tíos, recortadas en la oscuridad de los balcones de la quinta en verano, y esa similitud hacía que sintiera a los santos patronos más parientes, cuando se inclinaban en sus arcos góticos para observar el desfile del ejército que guiaban los ángeles y que yo creía divisar también, en la bruma del incienso eclesiástico, mientras se prolongaba esa excursión maravillosa que acentuaba para mí el parentesco y la amistad de todo, de lo más afinado y recamado a lo más modesto.

No bien se salía de las calles principales, en las que los negocios mustios, inverosímiles, desplegaban sus mercaderías para que se apreciaran desde las puertas —las reses colgadas en la carnicería; las piezas de tela ordinaria y las cintas que festoneaban los estantes de Doña Carlota; los cafés donde los hombres bebían caña y jugaban a los naipes; la peluquería donde una mujer se hacía ondular por misteriosas razones, como si tuviera que asistir a un baile importantísimo, en lo de Tía Clara, o si se aprestara para recibir en sus brazos a los subtenientes del ejército vencedor, cuando en San Damián concluyera el tedeum y fuera necesario agasajar a los héroes que anunciaban el fagot y el pífano—, no bien se salía de esas calles, comenzaba a percibirse otro género de poesía en el inmediato suburbio, cuyas casas vestían el rosado uniforme de las fachadas sin revocar, sobre el cual se empinaban los molinos chirriantes, metálicos, esqueléticos, y las enredaderas hirsutas. Los caballos huesudos pastaban en las veredas. Croaban las ranas en los charcos de los caminos barrosos, frente a las casitas de los obreros de la destilería, todas iguales, a cuyas puertas, derramadas en sillas de paja, enormes mujeres embarazadas gozaban del pálido sol invernal, comadreando y mateando. Más allá había viejas encorvadas, bíblicas, que recogían yuyos, y algún chico de arremangados pantalones, descalzo, orgulloso, pasaba, como Simón y yo hacía poco tiempo, con la caña de pescar al hombro y un can husmeando los peces plateados, encendidos como faroles, que colgaban de sus anzuelos. Avanzaba el crepúsculo y lo poblaban silbidos distantes, ondulantes, que se incorporaban al resfriado padecer de un fonógrafo tosedor de tangos, y a las despedidas nocturnas de las mujeres que se retiraban y se decían adiós como si fueran a morir, y al órgano y a Chopin y a los relinchos y al mugir doloroso que venía de lejos, de los confines del mundo habitado, como una transmutación última, suprema, de todas las voces del campo que se preparaba para reposar, cuidado por gallos y perros, bajo la maternal mirada de las constelaciones.

Me acuerdo que fuí como un ebrio por esas calles, seguido por Simón, que me oía hablar entre dientes, asombrado. Bebía el paisaje, me alimentaba de él, lo devoraba, lo hacía mío por fin. Y alrededor, majestuoso, fluía el río caudal, con su séquito, más noble y señor que nadie, más señor que mi bisabuelo, el del busto, que descansaba en el gran comedor de mármol de Santa Gertrudis; el río majestuoso como la luna, majestuoso como el sol redondo que, en el ocaso, era una luna incandescente. ¡Qué esplendor el de esa tarde tibia! Los sulkies cruzaban, desvencijados, con algo de insectos. Y yo me decía que si alguna vez consiguiera —dentro de muchos años, afanándome, depurándome, buscando y rebuscando— transmitir a los demás, a los que por estar demasiado cerca o demasiado apartados la ignoraban, la hermosura de ese sitio, sería un poeta. A los quintones, a las desnudas glicinas, a las palmeras, a los comercios, a los macizos vacunos que se apresuraban, arriados por un hombre sin rostro; al fonógrafo dulzón y al estudio de Chopin, se agregaron viejas imágenes que los enaltecían. En el recuerdo vi galopar a mis tíos, espigados como dos halconeros salidos de un tapiz; y vi rodar los carruajes que Don Fulvio Serén reconocía por el crujir de los ejes; y Berenice se adelantó frente a mí (Berenice que nunca había estado ausente del cuadro pueblerino milagrosamente exaltado), con todas sus estampas sucesivas, con su procesión de figuras ceremoniosas: doblándose, con el jubón flamígero de paje de los Capuletos, al ritmo del vals de Gounod; dirigiéndose a San Damián, con su madre, su padre y su abuelo, rebozada como una infanta que va a misa en el clamor de las campanas solemnes, entre su dueña y sus espadachines; recorriendo las salas prohibidas de "Los Miradores", la vez que nos descubrió Basilio y que tanto sufrí; oyendo con dos dedos en la sien las sonatas que interpretaba César Angioletti; besando a Tía Ema, en la fiesta inolvidable, como si su beso pudiera borrar todos los otros; sonriéndome en Buenos Aires, desde el balcón del colegio, cuando yo caminaba por la acera de enfrente haciéndome el distraído... Pero no, Buenos Aires no tenía nada que hacer dentro de este álbum perfecto, de esta caja de música en la cual cada timbre se respondía y enlazaba con armónica justeza para crear la sinfonía del pueblo, la sinfonía que acompañaba desde el alba hasta la noche al "ballet" mágico de los cuentos de Úrsula, y en la que las mujeres ondinas de los islotes que nos habían pertenecido, coronadas de flores y de hiedra como Don Giácomo, irrumpían gozosamente, como sólo pueden hacerlo en las leyendas los semidioses, para iluminar el cuadro de la iglesia, de la municipalidad, de la estación, del correo, de los caserones y de los ranchos, con su insustituible claridad mítica, con su luz de trasmundo que hacía relampaguear las guirnaldas como si estuvieran trenzadas con luciérnagas y con gotas del agua del río que chispeaban más que los brillantes solitarios que en sus negros mitones escondía Tía Ema.

Tío Baltasar se lamentó a mi regreso del largo de mi ausencia, pero no le hice caso. Reanudé la lectura de la "Histoire de la Maison de Montmorency", y ni un instante me fijé en la prosa monocorde de M. Desormeaux, ni en las observaciones nerviosas con las cuales Tío Baltasar cortó los períodos del cronicón, porque todo el tiempo, mientras desenrollaba la trama de los próceres franceses, orlada con la inscripción jactanciosa "Dieu ayde au premier baron chrestien", las imágenes del pueblo, de mi pueblo, seguían sucediéndose en mi cabeza. Era como si hubiera encontrado un tesoro, y debiera ocultar el hallazgo y continuar hablando sencillamente, naturalmente, sin traicionar mi emoción. Alrededor del árbol histórico de los Montmorency, de la encina colosal, casi milenaria, en cuya copa se posaban dieciséis aguiluchos de azur, mi pueblo agrupaba sus árboles en maravillosas manchas de color, en verdes sombríos, en ocres, en lilas, en azafranes, en profundos violetas, en temblorosos dorados. Y las casas —los edificios "oficiales", las fachadas italianas que se dijeran inspiradas por Giuseppe Verdi, las sin revocar y el rancherío— se distribuían también con armonioso dibujo. La gente comenzaba a aparecer y a mostrar los rostros. Y mientras yo decía, por ejemplo: "Bouchard IV de Montmorency, Sire de Montmorency par la Grâce de Dieu", o "Mathieu IV de Montmorency, Grand Chambellan", veía al muchacho de la carnicería en medio de las reses asesinadas, como una diminuta divinidad cruel, surgida, semidesnuda, de la fragua de Velázquez; o veía a Doña Carlota redondear un ovillo, con su nieta, la de los ojos glaucos, sentada delante, teniéndole la madeja; o veía al chico pescador, todo de bronce, con una pátina de oro en el pelo, inclinarse para recoger una canasta. Y a Berenice, la veía a Berenice, en tanto que decía: "Charlotte-Marguerite de Montmorency, princesse de Condé", o "Marie-Félicie des Ursins, duchesse de Montmorency", la veía poner su mano leve, sus cinco dedos finos, sobre el aldabón de su casa que era otra mano también, deliciosa, más pulcra y grácil que todas las manos de todas las señoras de la Maison de Montmorency, y al hacerlo, al acariciar con sus dedos los dedos de metal, era como si Berenice sellara un pacto con el pueblo, como si el pueblo y ella rozaran sus manos para que Berenice me entregara la llave, el secreto de ese pueblo insignificante y fundamental.

Pero Tío Baltasar se impacientaba:

—¿En qué piensas, Miguel? Te distraes. Estás a mil leguas.

Y yo retomaba el hilo de los Montmorency y volvía a viajar en la nave de "Los Miradores" hacia Europa, hacia las regiones donde Tío Fermín abriría sus baúles cerrados durante lustros para reconquistar su "smoking" y su juventud, como yo había reconquistado al pueblo que había tenido junto a mí a lo largo de toda mi vida sin mirarlo, sin tenerlo.

—¿En qué piensas?

—En nada, Tío Baltasar.

—¿Estás contento?

—Sí, Tío Baltasar.

—No parece.

"Anne de Montmorency, connétable de France"... "Urbain de Laval de Montmorency, marquis de Bois-Dauphin, maréchal de France"... Esos nombres, esos centenares de nombres que caían como hojas secas de la encina milenaria, y me cubrían... me cubrían...

—¿Te gustará venir a París?

No le contesté.

"Philippe de Montmorency, évêque de Limoges"... "Charles de Montmorency, duc de Damville, maréchal de France"... todos esos nombres... todos esos ojos viejos, taimados, socarrones, que brillaban entre las ramas de la encina, aguardando mi respuesta, y que se confundían con los ojos de Tía Duma, de Tía Clara, de Tío Sebastián, de Tío Nicolás, de Gustavo, de María Luisa, de Tía Gertrudis, de Tío Baltasar, de mis propios Montmorency astutos...

Esa noche, desde mi cama, oí discutir a Tía Gertrudis y a Tío Baltasar. ¡Tantas veces había escuchado esas discusiones nocturnas! Resonaban como un rumor irritado que se ligaba con el de la destilería, en los desvelos de mi infancia.

—Si él no viene —exclamó Tío Baltasar—, yo tampoco iré.

—Tú estás loco.

—Lo necesito... para... para que me ayude... estoy planeando un libro...

—¿Sobre Victor Hugo? —Y Tía Gertrudis se echó a reír con su risa de hombre.

Al otro día, después del desayuno, Tía Gertrudis me dijo que quería conversar conmigo. Anduvimos un rato en torno del busto que, durante años, había sido de Marco-Aurelio. Mi tía me preguntó por mis estudios. Al viaje no lo mencionó. De repente giró hacia mí y recalcó rápidamente:

—Baltasar no tiene nada, Miguel, nada en absoluto. Si quisiera, podría levantarse hoy mismo. No tiene nada.

Se alejó, erguida, tirante el pelo negro, hacia la casa.

Yo salí a caminar por el pueblo, como si anduviera entre zumbidos, como si los dieciséis aguiluchos azules de los Montmorency, que en su escudo semejaban abejas, revolotearan alrededor. Me encontré con Don Fulvio, quien me saludó con cómica cortesía porque, no sabiendo dónde lo cortés comenzaba a ser ridículo, lo disfrazaba de bufona comicidad.

—Es una lástima —me confió— que Berenice no pueda venir para mi cumpleaños. Tiene exámenes... ¿cómo se llaman?... exámenes parciales... eso es... exámenes *parciales*... ¡qué idea!... y las monjas no la dejan venir...

Eso acabó de decidirme. Me iría esa tarde. Cuando se lo comuniqué a Tío Baltasar, que me tendía el tomo tercero de la "Maison de Montmorency" para que continuara la lectura, mi tío se puso muy pálido.

—Estoy enfermo —me dijo—, debes acompañarme; debes tener compasión de mí. ¿Así me pagas lo que me debes?

—Usted está bien, Tío Baltasar. Lo sé. Me lo ha dicho Tía Gertrudis.

—¡Qué sabe esa imbécil! Gertrudis no me quiere. Me odia. No le creas, Miguel, estoy enfermo, muy enfermo.

—Me voy, Tío Baltasar. Ya volveré por aquí más adelante.

—¿Te vas?

Estalló, iracundo. La mano blanca se le encogió como

una garra en las colchas y con la otra golpeó sobre la mesa de luz.

—¡Es por esa chica! ¡Por esa Berenice! ¡Be-re-ni-ce! ¡bah!

—Yo la quiero, Tío Baltasar.

Quedó en silencio. Se hizo, inopinadamente, un hondo, liso, acuático silencio. El tic-tac de su reloj tartamudeó en la repisa.

Alzó el libre celeste de M. Desormeaux y me lo arrojó a la cara. Pensé, como Gertrudis, que estaba loco; que como tantos miembros de nuestra familia, estaba loco.

Bajé las escaleras a los saltos. En el "hall", junto a la Mesa del Emperador, Tío Fermín me detuvo. Rígido como un sonámbulo, con las pupilas dilatadas, me habló.

—Tienes que irte hoy mismo, Miguel. Tienes que irte...

Su voz sonó, grave, monótona, incolora. Me di cuenta, porque antes había asistido dos veces a fenómenos similares, de que pasaba por uno de sus trances misteriosos en los que se aguzaba su don de videncia.

—Hoy mismo —porfió—. Hoy mismo...

—¡Tío Fermín!

Tomé al anciano por el brazo y lo sacudí suavemente.

—¡Tío Fermín! ¡Tío Fermín!

Lo senté al lado de la mesa y fuí a buscarle agua. Cuando regresé, había recobrado su expresión normal.

—¿Qué sucedió? ¿Qué dije?

—Nada, Tío Fermín. Nada serio. Me dijo que me fuera hoy.

—¿Eso te dije? ¿Nada más?

—Nada más. Y me iré.

A Tío Baltasar no volví a verlo. Se negó a recibirme. Había clausurado su puerta con llave.

Tomé el tren de las siete; me ubiqué en el vagón vacío y entrecerré los párpados. Tardamos en partir. El movimiento de la estación me recordó, como la disputa de Tío Baltasar y de Tía Gertrudis, las noches de mi niñez. A veces, de chico, entre dormido y despierto, oía pasar los atontados trenes —"el lechero", tempranísimo— y escuchaba el chirrido de los vagones que se chocaban al frenar en la estación; el estrépito de los tarros sacudidos; el cacareo de las gallinas y los pollos zarandeados en los jaulones; el desconsolado mugir de los vacunos. Era otro de los "temas" del pueblo, que se incorporaba a la partitura compleja cuyas notas se grababan una a una en mi imaginación, diseñando el esbozo de los movimientos musicales. Empecé a escribir con un lápiz sin punta en la última página, la del índice, del ejemplar de "Les Illuminations" de Rimbaud que me había regalado César Angioletti. Me costaba hacerlo por el traqueteo del coche, pero no podía dejar de escribir, colmando la hoja, tachando, suprimiendo, añadiendo, transformando esa hoja final en un dibujo fantástico, lleno de signos y rayas que unían, a través de los renglones, las frases garabateadas, torcidas por los tirones del tren, con las otras frases, las que se me habían ocurrido después, y que volaban, en la altura de la página o a los costados, encerradas por líneas inseguras, como globos informes llenos de letras, que se mantenían atados al texto central por rayas temblonas tendidas como cables que no los dejaban escapar.

Cuando dimos vuelta a la barranca enfundada por la negra enredadera de campanillas, sobre la cual se erguían "Los Miradores", la silueta de la casa se perfiló como un barco parado un segundo en la cresta de una ola enorme y que al instante, no bien yo le diera la espalda, se precipitaría para siempre en el abismo donde los árboles y las plantas trepadoras entrelazaban sus tentáculos como monstruos del mar. Titilaba una lucecita en el cuarto de Tío Baltasar, del vigía. Se me anudó la garganta, y sin embargo seguí escribiendo, agitado, febril, ignorante de la cosa horrible que ya planeaba sobre "Los Miradores" y sobre el pueblo, acechando a los míos, que ya se apuraba, azuzada por el destino, mientras yo corría hacia Buenos Aires como un irresponsable desertor que sólo pensaba en pulir frases hermosas, y que escribía y escribía sin detenerme, hasta encima del colofón de Rimbaud, amontonando ahí también, pues me faltaba sitio, las imágenes del pueblo que adoraba y que había abandonado en su hora más atroz.

XI

El día más infausto de mi vida comenzó para mí horas después, a las ocho y media de la siguiente mañana. Suspendo la pluma en el aire, al evocarlo en esta habitación de un hotel de provincia en el cual todo, fuera de dos o tres restos del naufragio salvados por casualidad, es impersonal e intruso, y los recuerdos me asaltan, incólumes, cuando voy reviviendo las imágenes cuyo intenso vigor me perseguirá mientras aliente.

Me estaba bañando en la pensión de las señoritas de Mendoza, en momentos en que una de las solteronas golpeó a la puerta para avisarme que mi Tía Ema me llamaba por teléfono. Salté de la lluvia, asombrado por el anuncio inesperadísimo —era la primera vez que Tía Ema me llamaba y además yo suponía que ella, con sus ochenta y seis años y sus mimos, se levantaría mucho más tarde—, y escuché en el tubo el gorgoteo ansioso de la voz de la anciana, tan confuso como si me hablara debajo de la lluvia del cuarto de baño.

—¿Has visto los diarios? —me preguntó.

—Todavía no, Tía Ema.

—Ha sucedido algo espantoso. Pero no se sabe bien qué ha sido...

Yo distinguía apenas sus palabras.

—¿Qué? ¿qué?

—...el estallido de los tanques de nafta... Y no se sabe...

—¿Qué? ¿Qué?

—...muy pocas noticias...

Poco a poco, la terrible realidad se aclaró ante mí. Las señoritas de Mendoza, que me espiaban por la puerta entornada de la cocina, me trajeron, abierto en la primera página, un ejemplar de "La Nación". Allí, destacadas en un recuadro, unas líneas breves informaban que en la madrugada, a punto de cerrar la edición, se había sabido que en el pueblo fundado por mi bisabuelo se había producido una serie de tremendas explosiones en la refinería de petróleo. Temíase que las consecuencias del siniestro fueran muy graves. Lo leí, acongojado, en tanto que en el tubo seguía murmujeando la voz de Tía Ema.

—Lo mejor —le dije— será que me vaya en seguida. Tomaré el tren —miré el reloj— que sale dentro de cincuenta minutos.

—No hay trenes. Ya hablamos a la estación. Han suspendido el servicio de ferrocarril. ¡Qué espanto, Miguel! ¡Cómo estarán esos pobres! Y el asilo... ¡qué habrá pasado!

¿Cómo estarían en verdad, cómo estarían? Los había dejado escasas horas atrás, en el tenso sopor de "Los Miradores"... y de repente...

—Lo más práctico será que te vayas...

—¿Qué? ¿Qué dice, Tía Ema?

—Te lo mandaré en seguida. Pedro te llevará.

—¿Qué cosa?

—...el automóvil... Y que tengas suerte... Que Dios nos ayude, Miguel... Dentro de veinte minutos...

Su voz se ahogó definitivamente en la lluvia telefónica. Colgué y de inmediato me comuniqué con el colegio de Berenice. Lo que allí me revelaron terminó de angustiarme.

—Estamos desoladas —me contestó la superiora— ...sí... sí... hemos visto la noticia... ¡Qué impresión para la señora Ema!... Y Berenice se fué ayer al pueblo...

—¿Cómo? —grité—. ¿Se ha ido?

—Sí... ayer por la tarde... El examen parcial se postergó, y como su abuelo me había escrito pidiendo que la dejáramos ir para su cumpleaños... sus setenta años... ¡Ave María Purísima!...

Entonces nuestros trenes se habían cruzado. Yo iba casi solo, ensimismado en el vagón, escribiendo —el guarda me había conseguido unas hojas pues en breve llené la página blanca de "Les Illuminations"—, y ni siquiera me fijé en el tren que corría en sentido contrario, aunque recuerdo que los dos convoyes se detuvieron paralelamente en una estación intermedia. Si no hubiera estado tan metido en mi trabajo, tan aislado dentro de él, probablemente la hubiera visto y hubiera regresado con ella a "Los Miradores". Y ahora... ¡Dios mío! Yo, que no rezo mucho, me puse a rezar. Rezaba, mientras me vestía como un sonámbulo en mi dormitorio.

¡Qué viaje aquél! ¡Qué viaje infernal! Volamos por el camino, bajo el cielo gris. Aquí y allá, a lo largo de las etapas, cuando nos paramos a cargar nafta, las novedades aguzaron mi horror. ¿Qué estaría pasando en mi pueblo? Según nos contaron, había sido algo semejante a un terremoto. Hubo un estampido feroz a la una y diez, y una llamarada colosal se alzó hacia las nubes, iluminando las adormecidas calles como si fuera de día. La gente huyó en tropel. En la carretera nos cruzamos con grupos despavoridos que escapaban a pie, en coche, a caballo. Nos refirieron que en lugares distantes se habían roto los vidrios de las casas, y que las explosiones, oídas desde varios kilómetros, se sucedieron durante la noche de pesadilla, como si un volcán hubiera despertado en brusca erupción junto al río.

¡Qué miedo! ¡Qué desesperación! ¡Berenice! ¡Berenice! Pronuncié su nombre una y otra vez, en tanto continuábamos nuestra ruta a cuyo término ignorábamos lo que nos aguardaba. ¡Berenice! ¡Berenice!

Y en mitad de mi aflicción, los versos de Racine que se vinculaban tan estrechamente con mi querida Berenice, a quien le debía su conocimiento, los versos hermosos, rotundos y apesadumbrados, tornaron a modular su queja en mis oídos, pero con una fuerza nueva, con una honda intención nueva, pues lo que yo sentía ahora no era su grandeza plástica, esa música que me acariciaba por dentro como si excitara en mí ecos muy delgados, muy sutiles, que le respondían, sino una crispación desgarradora:

"Que le jour recommence et que le jour finisse
Sans que jamais Titus puisse voir Bérénice..."

Eso era lo horrendo. Esa era, de todas las ideas que me atormentaban, la más horrenda: que el día pudiera recomenzar y que el día pudiera tener fin, sin que jamás, jamás, gran Dios, jamás de los jamases, volviera a ver a Berenice. Así que rechacé la conjetura y, para distraerme, me lancé a hablar con Pedro, el chofer, que prestaba servicios en casa de Tía Ema hacía veinte años. Pero no se apaciguaba mi inquietud. Íbamos en el aire duro de la mañana que prometía un aguacero próximo. El avance de la gente que procedía de mi pueblo y de los cercanos, y que se apuraba, en carros atestados de muebles y objetos híbridos, bamboleantes, como si viniera de una ciudad evacuada por un bombardeo, entorpecía el camino cada vez más. Reconocí a un paisano y le grité:

—¿Y "Los Miradores"?

Levantó los brazos al cielo... y seguimos, seguimos... Ya se divisaban las llamas rojas, la columna de humo espeso que crecía del lado del río. Algunas detonaciones nos aseguraron que el siniestro no cejaba.

Me acordé de Tío Fermín. Lo ví, junto a la Mesa del Emperador, dilatados los ojos proféticos:

—Tienes que irte hoy mismo, Miguel. ¡Tienes que irte!

Y yo me había fugado en el primer tren, poco antes de que la loca tormenta se desencadenara, de que reventara el volcán.

Entramos en el pueblo por la parte de Santa Gertrudis,

dando un rodeo, pues era imposible continuar por la carretera de la costa. El espectáculo lastimoso era increíble. ¡Pensar que hacía tan cortas horas que aquellas mismas calles de barro y aquellas casas italianas y aquellos árboles tranquilos habían ensayado para mí una sinfonía pacífica, amodorrada, que me había conmovido hasta lo más profundo porque su melodía serena tenía una gracia estática, permanente! Nada es permanente. En un abrir y cerrar de ojos se rajan las entrañas de la tierra y el fuego salta, implacable. Y las puertas, las ventanas y las cortinas metálicas que presumimos soldadas al cemento y al ladrillo, vuelan por el aire como si fueran trozos de papel. Habían ardido rápidamente la estación de ferrocarril, la casilla del guardahilos, la de señales. Se desplomaron muchas casas. Otras se incendiaron o se resquebrajaron. La gente se había aglomerado en las plazas y baldíos, con sus colchones, con mantas, con bultos. Numerosos fueron los que se desbandaron hacia el campo, ensangrentados por la lluvia de cristales de agudo filo. El líquido inflamable se precipitó al río, transformándolo en un caudal de fuego que reproducía, más de un siglo después, como si el río la estuviera soñando, la gran batalla de mi precursor. Las embarcaciones trataron de ponerse a salvo, mientras las llamas ganaban la opuesta orilla. Y los alambiques y los estanques que contenían petróleo crudo seguían suministrando materiales a la combustión voraz. Se decía que los muertos y los heridos sumaban docenas, centenares. En el turno de noche de la destilería trabajaban sesenta obreros, pero el total sobrepasaba los seiscientos. Y las líneas de mangueras tendidas sobre la furia invencible parecían cosa de chicos, pues la ventolera robustecía el rencor incendiario.

—¿Y "Los Miradores"? —inquiría yo a derecha e izquierda.

Atravesé la plaza a escape, hacia lo de Angioletti. No quedaba en las ventanas ni un vidrio entero. Me asomé a uno de los tres balcones y vi el negro piano hendido, postrado. Don Fulvio venía del interior, corriendo también, y tropezó conmigo. Traía un frasco y una venda que flameaba en su mano como una banderola.

—¿Berenice? —lo interrogué.

—No la hemos encontrado todavía. César está allá pero no lo dejan seguir adelante. Tienen miedo que el edificio se venga abajo.

—¿Allá? . . . ¿dónde?

—En "Los Miradores".

—¿Berenice está allá?

—Sí. Calculamos que se fué anoche, cuando se produjo el estallido.

El viejo me miró a los ojos:

—La pobrecita debió temer por usted y fué allá en seguida, antes de que pudiéramos detenerla. Pero usted. . . ¿dónde estaba?

—¡Yo estaba en Buenos Aires! Me fuí ayer.

—Berenice no lo sabía. Seguramente salió a buscarlo. No puede estar en otra parte.

Eché a correr, dejándolo atrás con su venda y su gesticulante vejez. Las lágrimas me empañaban los ojos. Como un gamo, avancé sorteando los grupos de gente, los muebles, los cajones, las maletas, los fardos.

Alrededor de "Los Miradores" se había establecido un cordón policial. Por su inmediata cercanía de los tanques, esa zona había sido la más devastada. El humo lo cubría todo, pero aquí y allá se distinguían trozos de la derrumbada techumbre y ventanas por las cuales el fuego sacaba sus lenguas rojas. Angioletti vino hacia mí. Hacía diez horas que duraba su angustia. Me abrazó, me besó en la cara.

—Gertrudis, Elisa y Úrsula están en el hospital —me dijo—. Sus heridas son leves. Del resto no sabemos nada.

—¿Y Berenice?

—Nada. Nadie se anima a entrar todavía. No lo permiten. Los bomberos son los únicos que han llegado al parque. En cualquier momento puede haber otra explosión.

—Yo entraré —le respondí—. Existe una puertita del otro lado, por la calle de la municipalidad, medio escondida entre los talas. Por ahí se debe poder entrar.

—Yo voy con usted.

Nos deslizamos a lo largo del cordón. Dos muchachones nos siguieron. En aquella parte era menor la vigilancia, y además las autoridades y la gente estaban demasiado ocupadas con el siniestro —y demasiado alejadas de pensar que a nadie se le ocurriera introducirse en el jardín— para fijarse en nosotros. Encontré la puerta que Simón y yo habíamos fabricado en el cerco que disimulaba el ligustro. Por ella nos escurrimos los cuatro en el parque.

Pasaron unos bomberos, como sombras, con unas angarillas. Transportaban en ellas dos cuerpos. Eran los de Basilio y Nicolasa.

—¿Qué hacen aquí? —vociferaron—. ¡Vuélvanse! ¡Está prohibido!

Pero nosotros seguimos avanzando.

¡"Los Miradores"! ¿Qué quedaría en pie de "Los Miradores", de sus salas, de sus galerías, de sus escaleras, del laberinto imaginado por mi bisabuelo? ¿Habrían muerto

Nicolasa y Basilio? ¿Y Simón? ¿Y Tío Baltasar? El ala de Simón era, aparentemente, la más dañada. Un vasto paño de muro —el que correspondía al billar y al comedor— se había desmoronado, y el interior se mostraba a nuestros ojos como un ancho proscenio, con sus aposentos de fiesta, sus sedas y sus oros, desquiciados por el cataclismo, como si hubiera habido allí una orgía de bárbaros invasores, de húsares frenéticos que habían partido después de arrollarlo todo bajo las patas de sus cabalgaduras.

Hacia el río, resonó otra explosión que estremeció las paredes. Me metí en la casa, sin enterarme de si los otros me acompañaban, por la parte nuestra. Entonces recogí casi instintivamente, al cruzar el "hall", las miniaturas del duque de Dalmacia y del príncipe de la Moskowa, que vi en el suelo, intactas, entre los restos de la Mesa del Emperador. Me volví en la humareda, tosiendo. César Angioletti y los muchachos me pisaban los talones. Nos tapamos las caras con los sacos, con los pañuelos.

—¡Arriba! —exclamé—. ¡Arriba!

La escalera había resistido a los golpes. En el corredor caí de bruces. El cadáver de Tío Fermín estaba ovillado delante del último escalón. Su baúl mundo —su mundo— se había abatido sobre él y lo había muerto. Los muchachos lo alzaron en vilo y descendieron con él, para dejarlo en el jardín y regresar luego.

—¡Berenice! —llamaba Angioletti.

Recorrimos los cuartos. Todo era confusión. Andábamos entre fragmentos de yeso, entre desgarraduras y grietas, como si avanzáramos a duras penas por un barco —el barco de "Los Miradores", que no llegaría a Europa jamás— abandonado por su tripulación a las llamas, después del combate. Los cinco tomos de la "Histoire de la Maison de Montmonrency" estaban desparramados en la habitación de Tío Baltasar, entre los cuadros mutilados y los agonizantes sillones. Eran los vestigios más inmediatos del pasado; las cinco huellas celestes del pasado en el que me había introducido de la mano de Tío Baltasar, y que el fuego devoraría en breve. En mi dormitorio tomé de la chimenea los retratos de mis padres. Sobre el enredo de la cama, reparé en el bol azul de mi madre y me lo eché al bolsillo. Era lo mío, lo que no debía perder.

—¡Berenice! ¡Berenice! ¡Tío Baltasar!

¡Diez horas! ¿Qué habían hecho los bomberos voluntarios, la policía, la gente, durante diez horas? En mi egoísmo no pensaba en la sorpresa, en el pavor, en el resto del pueblo sacudido e incendiado, en el peligro de las explosiones. Pensaba que todos se debían haber volcado de inmediato en la quinta.

—¡Berenice! ¡Tío Baltasar! ¡Tío Baltasar!

No estaban en la casa. El único que había permanecido allí era Tío Fermín, muerto, asesinado por ese equipaje inútil para el cual había existido, consagrándose a él, sacrificándose como un inventor que crea un monstruo mecánico, pieza por pieza, y le dedica su imaginación y su dinero, privándose de lo elemental para construirlo, hasta que el monstruo cobra vida de repente y lo derriba y lo despedaza. ¡Pobre Tío Fermín, encantador Tío Fermín, príncipe inocente y exilado, que por momentos era simple como un niño, y por momentos, acaso por esa misma pureza misteriosa, podía internarse en regiones secretas y asomarse a la niebla del futuro por un atajo, para retornar al mundo cotidiano trayendo una pequeña luz! De nada le había valido su videncia. A mí sí me sirvió; a mí me salvó. Gracias a él y a su don inexplicable estoy aquí, escribiendo estas frases últimas que mojan mis lágrimas.

Por el balcón de Tío Baltasar, que había sido despojado bruscamente, como por un zarpazo gigantesco, de los postigos y cortinajes que ocultaban la destilería, abarqué el paisaje apocalíptico: los cráteres y las solfataras que vomitaban fuego, más allá de las vías del tren; la estación encendida, crepitante; el río incandescente; el cielo frío de la mañana, que presagiaba lluvia, y no se resolvía a soltar el agua compasiva que hinchaba las nubes; las llamas que habían hecho presa de la barranca, donde ardían los talas y las enredaderas; y el invernáculo inclinado, combado, que parecía recogido sobre sí mismo como una bestia enorme que se apresta a saltar. Los "collies" de Tía Gertrudis ladraron en el jardín. Zeppo y Mora brotaron del follaje, al galope, soberbios, enloquecidos, demoníacos, dorados, las crines al viento. Don Giácomo corría detrás, incapaz de detener su fuga.

¡El invernáculo! Me iluminó, como otra llamarada, un presentimiento aterrador.

—Deben de estar en el invernáculo —le dije a Angioletti.

Seguido por él y por los muchachones, descendí la chamuscada escalera que crujía. El señorial retrato, pintado por Monvoisin, del general que sucumbió en la batalla del río, me observó con sus nobles ojos oscuros, detrás de la Mesa del Emperador descuartizada. Se había salido del marco y, apoyado contra la pared, contemplaba el desastre, con una calma militar que contrastaba con las ruinas amasadas en torno, de modo que, un segundo, me pareció intensa, dramáticamente vivo; me pareció que en la casa-navío que zozobraba en la tormenta y que pronto se hundiría para siempre, el viejo guerrero de las hazañas navales era el único que conservaba la serenidad, sin que nada, ni el fracaso de la arboladura, ni el desmantelamiento del puente volado, ni el tronar de los bombardeos, pudiera perturbar la inmutable grandeza del patricio que, ceñido por el uniforme estético, romántico, suntuoso, las condecoraciones y la banda sobre el pecho apacible, presenciaba el naufragio como si asistiera a una revista de gala.

Vacilé, al verlo tan hermoso, tan desdeñosamente resignado.

—Es el retrato de Monvoisin —dije. (Y los muchachos habrán pensado que ése era el apellido del héroe.)

Pero no me paré a levantarlo, a rescatarlo, porque me urgía llegar cuanto antes al invernadero. En cambio uno de los muchachos lo alzó, y así salimos al parque, en el cual varios árboles secos se habían convertido en hogueras como si fueran unas fabulosas plantas ígneas, amarillas, rojas y verdes, que restallaban cuando el viento las fustigaba con su látigo.

—Los bomberos se llevaron el cuerpo de Don Fermín —comentó Angioletti.

Las primeras gotas de lluvia empezaron a caer, como una bendición, mientras los relámpagos prolongaban, en el cielo cárdeno, el cuadro de luces violentas que ofrecía el pueblo. Apareció Don Giácomo con su corona de hojas alrededor de la frente. Los caballos que perseguía dispararon, temerosos, hacia los ombúes, hacia el busto del Dr. del Valle. Lo atajé al italiano y lo sacudí por los hombros. Él reía :

—Piove! Piove!

—¿Lo viste a Tío Baltasar? —le pregunté.

Cesó de reír de repente, como si la inteligencia hubiera vuelto a su frágil espíritu, por un instante. Le torció los rasgos una mueca de miedo. Señaló hacia el invernáculo y echó a correr en pos de Zeppo y Mora, bajo el chubasco. Nosotros corrimos también, pero en dirección al invernadero. Tanteé automáticamente en mis bolsillos las miniaturas y las fotografías. Detrás se balanceaba el retrato del general que azotaba la lluvia. Era como si lleváramos con nosotros los últimos despojos de un mundo —de una concepción del mundo— que moría entre las llamas de "Los Miradores", metamorfoseados, al aniquilarse, en la torre en llamas del blasón, un mundo del cual no quedarían más que ruinas humeantes, y era como si huyéramos con la bandera inútil, con los pequeños objetos hermosos y vanos, que ya nadie, nadie volvería a apreciar, en medio de los chaparrones que nos hostigaban y de las retumbantes fogatas inmensas. Y nos apresuramos mientras el cielo se ensombrecía cada vez más, y el fuego que se había adueñado de la casa y de la cochera iluminaba el invernadero con un resplandor inestable, bailoteante, que a veces nos mostraba los estragos que la explosión había causado en el techo vencido, cuya veleta gótica pendía a un costado como una espada impotente, y a veces descubría el hundido enrejado de la armazón, con sus persianas en jirones.

Surgieron del lado de las higueras dos bomberos, que traían dos camillas superpuestas. Los llamamos. Ya estaba delante de nosotros el esqueleto del monstruo, del férreo diplodoco de la barranca, del dragón "art-nouveau" que había alimentado en su seno las vigilias del traductor de Victor Hugo.

Me temblaban las manos. Todo el cuerpo me tiritaba. Traté de abrir la puerta, pero no lo conseguí. Angioletti forcejeó sin resultado también, así que contorneamos la estructura, buscando una entrada. No se veía nada del interior, apenas una maraña de formas entreveradas, turbias, en la que emergía hacia la izquierda, como un helado surtidor, la palidez de una de las estatuas. La otra debió desplomarse cuando el estruendo inicial conmovió a la barranca con su golpe furioso. Uno de los bomberos tenía una linterna de mano, pero la claridad que proyectaba era muy débil. Su haz recorrió, a través de uno de los rajados vidrios, sucio de mugre de telarañas, la profundidad del invernáculo, resbalando sobre las ruinas del cobertizo, sobre los filodendros, sobre la escultura tumbada, rota, que era la de América. Y súbitamente la luz alumbró en el suelo la cara de Tío Baltasar, cuyos ojos muy abiertos nos miraban, inmóviles. En el jardín aullaron, gemebundos, los perros de Tía Gertrudis. Arreció la lluvia. Llovía adentro del invernáculo, como la noche en que Tío Baltasar destruyó sus manuscritos, pero ahora los goterones caían sobre las mejillas de mi tío, sobre su boca, sobre su pelo, sobre sus párpados sin cerrar, sobre ese rostro que de improviso acentuaba sus semejanza con el del general pintado por Raymond Quinsac Monvoisin al que, también sin inmutarlo, flagelaba la lluvia.

Tratamos de nuevo de forzar la puerta. Uno de los bomberos había ido en busca de un farol; el otro nos gritó, desde la parte opuesta del pabellón:

—¡Vengan por aquí!

Había cedido uno de los soportes del costillar de hierro. El bombero —era un dependiente del almacén de Don Pablo— se abrió camino con el hacha. El otro se nos reunión entre tanto en el farol. Nos calaba el temporal. Por fin, reduciéndonos en lo posible, conseguimos entrar en el recinto lóbrego. El farol, los rayos, los relámpagos y el vecino incendio que luchaba con la lluvia, pintaron con tonos e intensidades distintas la escena de espanto.

La fuente musical, el tinglado y la estatua de América, se habían precipitado al suelo, en añicos, desgarrando las plantas; y la sección central del techo se había derrumbado. Entre los escombros yacían los cuerpos de Berenice, de Tío Baltasar y de Simón. Nos costó sacarlos de la trabazón que los cubría.

El rostro de mi amada conservaba una expresión de angustia. ¡Qué hermosa era! ¡Berenice! ¡Berenice! ¡Dulce, querida Berenice! ¿Tenías que terminar así? ¿Era justo que así se truncaran tus días? ¿Por qué te conocí y te adoré? ¿Por qué me conociste? ¿Por qué forjamos tantos sueños, si todo se cercenaría de pronto, ya que no hay nada más delicado ni más peligroso, nada que tiente tanto al destino como la madeja de los sueños tejidos por los adolescentes que se aman?

Cerré sus ojos y la levanté. Besé sus labios fríos. Los muchachos alzaron el cuerpo de Simón, que estaba un poco más allá, curvado, con el pelo abierto sobre la mojada tierra como un alga, como un alga dorada. Lo pusieron en una de las camillas, y en la otra depositaron a Tío Baltasar.

Y así atravesamos, como unos náufragos, bajo la lluvia, la distancia que nos separaba del portón. Berenice no pesaba en mis brazos. Su padre le sostenía la cabeza y lloraba sin parar, hablándole en italiano, como si la pequeña pudiera responderle. Los demás llevaban los cadáveres de Tío Baltasar y de Simón en las parihuelas.

Don Giácomo había sujetado a los caballos, que nos seguían, inquietos, con excitados corcovos. Cerraba la marcha del séquito trágico, que caminaba por los senderos del jardín convulso, entre la humareda, los árboles ardientes y los edificios que crujían, el retrato, sobre el cual tamborileaba el aguacero.

En la destilería estalló, ensordecedora, una explosión más, que fué la última y que nos sacudió con su descarga como si el suelo temblara a nuestros pies. Corrimos, desesperados, mientras los caballos peleaban por zafarse. Yo la abrazaba a Berenice, la estrechaba contra mí, contra mi llanto. La llamaba con un hilo de voz:

—¡Berenice! ¡Berenice!

Lloraba sobre el paje de los Capuletos, sobre Simón, sobre Tío Fermín, sobre Tío Baltasar, sobre "Los Miradores", sobre mi vida perdida, muerta en un invernáculo.

En el portón nos aguardaban los gritos de dolor de Matilde y de Don Fulvio, la curiosidad de la gente. La coloqué a Berenice, con la cara cubierta por mi saco, en la ambulancia, y cuando me incorporaba para acompañarla a donde la condujeran, una idea rara, desazonante, me sobrecogió y me obligó a entrar de vuelta en el jardín de la quinta y a volar por su camino hacia la barranca.

—¡No es posible! —murmuraba entre dientes—, ¡no puede ser!

Los otros no intentaron detenerme. Pensaron, tal vez, que iba a buscar algo más, algún precioso objeto de los muchos que mi bisabuelo había acumulado en su caserón.

Corrí por el camino. Sólo los "collies" de Tía Gertrudis, que gruñían, fueron a mi zaga. Recuerdo que divisé a unos hombres que venían en dirección opuesta, y que me oculté detrás de un arbusto para que no me advirtieran al pasar. Traían, como trofeos, casi en triunfo, algunas cosas disparatadas —el sillón desde el cual Tía Ema había gobernado la fiesta de "Los Miradores"; el gran cuadro en el que Milton dicta a sus hijas el "Paraíso Perdido", y que de repente (siendo tan feo, tan convencional y tan poco inspirador) cobró ante mis ojos un extravagante valor alegórico—, y no bien se alejaron seguí mi carrera.

—¡Berenice! ¡Simón! ¡Berenice! ¡Simón! —gemía yo nombrándolos ahora a ambos, porque la sospecha que me había asaltado impensadamente a los dos los comprendía.

—¡Tío Baltasar! ¡Tío Baltasar! ¡Ay, Tío Baltasar!

Llegué de nuevo al invernáculo. Penetré en el boquete despejado por el hacha, pero como no había tenido la precaución de proveerme de una linterna, arrastrado por la incoherente rapidez del impulso que me había llevado hasta allí, avancé a los tropezones, ya que los relámpagos habían cesado por completo, y que el incendio de la cochera se aplacaba velozmente merced al diluvio. Me guié por el brillo de la estatua vertical de la reina, que en medio del desastre presentaba, tomada por las crines, como un verdugo, como un personaje de una sanguinaria escena de brujería, la cortada cabeza de caballo, y, tratando de no resbalar, pues por todos lados me trababan las plantas, las piedras, los hierros y los ladrillos, me dirigí hacia la puerta.

Estaba cerrada con llave. Como yo había presentido —aunque al principio me negué a aceptar una idea tan loca y si regresé al invernáculo fué para convencerme de que me había equivocado porque me horrorizaba pensar que podía estar en lo cierto—, la puerta había sido cerrada con llave. Tío Baltasar había mandado colocar esa cerradura hacía muchos años, para aislarse en su cobertizo cuando quisiera, sobre todo, se me ocurre, las noches en que recibía allí a la prostituta que hacía venir del pueblo. Siempre guardaba la llave en el bolsillo. Sólo él tenía una. De modo que sólo él podía haber cerrado la puerta, aprisionando deliberadamente a Berenice y a Simón.

Nunca sabré cómo se reunieron los tres en el invernáculo, ni con qué pretexto los atrajo mi tío. Acaso los engañó, diciéndoles que yo estaba ahí. He dado mil vueltas en torno de ese pensamiento, y cada vez que medito sobre el episodio infernal que se desarrolló entre los filodendros, la "garras de león" y las esculturas tambaleantes, mientras "Los Miradores" se incendiaban y sonaban los estallidos espeluznantes del petróleo, siento que se me enfrían las manos y que se me moja la frente de sudor.

Nunca lo sabré. Nunca sabré nada. Tío Baltasar no quiso que salieran. No quiso que ni Berenice ni Simón salieran. No quiso que vinieran hacia mí, hacia mí que, sin proponérmelo pues hubiera defendido sus vidas con la mía, resulto así indirectamente culpable de su fin brutal y arbitrario. Los encerró, los condenó, los mató porque me querían; y porque me querían los odiaba. Hasta el último instante fué fiel, en su extravío vesánico, al héroe que se había inventado en un delirio nutrido por la imaginación truculenta de Hugo. El miserable los obligó a morir con él, a compartir su destino misterioso, puesto que con la destrucción de "Los Miradores" era seguro que no se podría realizar su antigua quimera del viaje a Europa, de la vida lejos, en otro mundo, donde no sólo reconquistaría, como Tío Fermín y Tía Gertrudis, su juventud y su confianza perdidas, sino calculaba que me tendría a su lado, sin Berenice, sin Simón, sin los que juzgaba extranjeros hostiles y ladrones de lo suyo. Los mató, los mató victorhuguescamente, rodeado de una armadura de hierro que se desplomaba y que fué su cómplice, rodeado de altas esculturas dementes, de ramas y raíces frenéticas, de gritos, de fuego. Cuando advirtió que había llegado el momento insólito y definitivo, y comprendió que los seres acechantes que durante años habían velado sus sueños estériles con las zarpas prontas, que los personajes fantásticos de la fuente, las estatuas, la flora de hierro mohoso retorcida en los muros, se aprestaban a arrojarse a matar, afianzó la puerta para que Simón y Berenice murieran con él, con el viajero burlado, y yo quedara solo.

Durante el velorio de mis muertos en el asilo de Santa Gertrudis, hallé la llave. Estaba en el bolsillo del saco que le habían quitado a Tío Baltasar para amortajarlo. Ya no pude dudar. ¡Qué horrible es todo esto! ¡Qué patética la suerte de Berenice y de Simón!

Tía Gertrudis se fué poco después a Buenos Aires. No quería ni oír mencionar al pueblo. Lo aborrecía. Decía que no sólo su hermano había muerto aquí dramáticamente, tras de perder su obra entera, su traducción maravillosa, sino que se habían marchitado sus posibilidades de irse a Europa que era lo único que le importaba, y con ellas se había agostado su juventud. En cambio Tía Elisa se quedó. Tía Elisa se puso muy rara a consecuencia de la catástrofe. Me vine a vivir con ella en este hotel, porque yo tampoco me decidía a alejarme del sitio donde había sido tan feliz y tan desventurado y donde mis raíces se hunden en un limo oscuro. A lo de César Angioletti fuí varias veces, al principio, pero luego dejé de visitarlo. Cuando Matilde Serén alzaba hacia mí sus bellos ojos, rasgados como los de Berenice, apartándolos de su bordado eterno, yo descubría en sus pupilas, aun cuando no pronunciaba ni una palabra y me trataba siempre con la misma arcaica cortesía, la sombra de un reproche.

Murió Tío Ema y la sepultaron en su gloriosa tumba multicolor, entre un morado ir y venir de obispos que rezaron una larga misa llena de saludos y reverencias asiáticas, casi persas o chinas (y a veces me pareció que esos saludos estaban dedicados no sólo a la Majestad del altar sino a Tía Clara y a Tía Duma, que presidían la ceremonia como dos mandarines vestidos de negro, emisarios de la majestad terrestre), como si Tía Ema requiriese, por su categoría y su influencia, una liturgia especial, pues ella era muy capaz de haber sido arrebatada al cielo en un carro de fuego, como el profeta Elías, ya que su imagen se conecta ineludiblemente con las de los magnos automóviles centelleantes. Nos enteramos entonces de que en su testamento había asignado a cada uno de sus sobrino una pequeña renta. Estuve en Buenos Aires a almorzar con Tía Gertrudis en su departamento del barrio sur, a raíz de ese legado. La encontré cambiada, distinta, ocupada de conferencias, comprando libros de arte, hablando de "la materia", del "empaste" y de "los valores", olvidada de su pasado de amazona. Fumaba cigarrillos rusos, y me preguntó qué pensaba de la pintura simbólica y del espiritismo y si había leído a William Blake. El dinero que recibió al fallecer Tía Ema, y probablemente el hecho de que ya no pesaran sobre su ánimo, con su inmensa sugestión de irrealidad, ni "Los Miradores" ni los sueños de Tío Baltasar, le habían infundido —a ella, que siempre ha sido fuerte— una renovada energía. Vivía con una muchacha inglesa, de ojeras azules, una pintora. Ya no tenía la obsesión de irse del país. Apenas la he visto después. Nos escribimos, sí, unas cartas anodinas de tanto en tanto.

Para mí la existencia se reduce a andar por el pueblo; a caminar entre las ruinas de "Los Miradores"; a llegarme al cementerio provinciano donde descansan los míos; a entrar alguna vez en San Damián, a contemplar los santos de los "vitraux" familiares que me evocan todo lo que se ha esfumado, cuando los miro allá arriba, como grandes pájaros enjoyados, laqueados, que refulgen sobre la bruma de incienso. Ya no descenderán a escoltarme con sus dalmáticas, sus báculos y sus aureolas, como cuando la conocí a Berenice. Me siento en una piedra del cementerio, cerca del repulcro de Berenice en el que César Angioletti ha hecho colocar una grácil lira de mármol semejante a la que corona la puerta de su casa, y en el que en alguna ocasión proyecté inscribir el melancólico verso de Racine que define mi vida mejor que un largo ensayo:

Hélas! et qu'ai-je fait que de vous trop aimer?

Permanezco quieto, durante horas, ante la tumba, pensando... Pienso en ella y en mí... pienso en Simón... y en Tío Baltasar... en mis padres, que sucumbieron hace muchos años en la carretera de La Guayra... Pienso... o no sé en lo que pienso... Me dejo llevar, como cuando me estiraba en el fondo del bote, de regreso de la pesca con Simón, y atisbaba sobre mi cabeza, en el llanto de los sauces, la evolución de las nubes. He vuelto a reír, pues por algo soy hijo de Wladimir Ryski, el prestidigitador, y he traído conmigo al mundo el don de ver cosas ridículas y estrafalarias donde otros no las advierten, y de entretenerme solo, observando e imaginando. Me acuerdo. Analizo. A veces sonrío y a veces los ojos se me humedecen de lágrimas. Y escribo mucho. Nunca me iré de aquí. Nunca me iré, Berenice. No podría hacer frente al tumulto que Tío Baltasar añoraba secretamente. ¡Qué extraño es amar! ¡Qué extraño que nos amen!... ¡Berenice, Simón, Tío Baltasar!... en medio de su ronda mágica, cerrada como una cadena de recios eslabones, estuve durante años y años... y ya no saldré de ella...

Ahora guardaré este cuaderno, bajaré la escalera y atravesaré el "hall" del hotel. Junto a la puerta, en la acera sobre la cual cae, al atardecer, la sombra de las alas del águila de mampostería, estoy seguro de encontrar a Tía Elisa, con su vestido floreado, sentada en una silla de paja al lado de una mesita redonda. Úrsula la acompaña hasta allí; le arregla los pliegues, los encajes de la blusa que sujeta el camafeo, y la cinta blanca de la congregación que no quiere quitarse; y luego Úrsula se va. Y Tía Elisa, que pasa el día en ese asiento, con su almohadón de cretona a la espalda, se ha convertido en una de las curiosidades del lugar. Como ha tenido tantos alumnos, casi todos la saludan. Es la nieta del fundador, la que se salvó del incendio. Saben que a pesar de no moverse de allí y de que su mirada vaga, incierta, sobre la plaza donde los chicos juegan alrededor del busto de su abuelo, su verdadera existencia transcurre muy lejos, en una zona inaccesible, y como le atribuyen un remoto pasado mundano, de fiestas, de lujo, digno de su nombre, del nombre de Tía Duma y de Tía Clara, quizás no captan la suave poesía auténtica de sus espejismos y de sus fantasmas conmovedores. Bajaré, pues, y sé que dejará el abanico sobre la mesa, que me tomará la mano y me dirá:

—Tío Fermín vino a visitarme de nuevo. Ya tiene listo el equipaje. Nos iremos la semana próxima, Miguel. Esta vez es seguro. Tú vendrás también, y la llevaremos a Úrsula. A Baltasar y a Gertrudis no, porque no quieren venir. ¡Que se queden, entonces, que se queden en "Los Miradores"! Pero no iremos a Fiésole, a ver el retablo de Mino da Fiésole... a Tío Fermín no le gusta. Iremos a París... y a Biarritz... y a Cannes... y a Roma... y a Viena...

Yo me arrellanaré en una silla de paja. Cerraré los ojos. Ella continuará hablando, con esa risita breve que de repente la ahoga y que la rejuvenece tanto, como si cuando ríe fuera una muchacha disfrazada de vieja. Seguirá hablando, enhiesta, con una mano entre las mías y la otra en el camafeo de su madre, hasta que las campanas comiencen a repicar en la torre de San Damián, y la campanita de las monjas de Santa Gertrudis les responda; y acaso, lánguido, doloroso, más allá de la plaza, un nocturno de Chopin se insinúe y vaya creciendo en el piano de César Angioletti; y las luces del pueblo se enciendan una a una, y todo parezca vivo como antes, como cuando el pueblo y el mundo vivían en verdad y no simulaban vivir, porque vivía Berenice.

FIN

Buenos Aires, 27 de enero — 17 de mayo de 1954.

SE TERMINÓ DE IMPRIMIR EN OFFSET
EL DÍA TREINTA DE OCTUBRE DEL AÑO
MIL NOVECIENTOS SESENTA Y SIETE
EN LOS TALLERES GRÁFICOS DE LA COM-
PAÑÍA IMPRESORA ARGENTINA, S. A.,
CALLE ALSINA 2049 - BUENOS AIRES.